Formación Cívica y Ética

Tercer grado

SEP

SECRETARÍA DE
EDUCACIÓN PÚBLICA

Formación Cívica y Ética. Tercer grado fue coordinado y editado por la Subsecretaría de Educación Básica de la Secretaría de Educación Pública.

Secretaría de Educación Pública
Aurelio Nuño Mayer

Subsecretaría de Educación Básica
Javier Treviño Cantú

Dirección General de Materiales Educativos
Aurora Almudena Saavedra Solá

Revisión técnico-pedagógica
José Ausencio Sánchez Gutiérrez, Verónica Florencia Antonio Andrés, Daniela Aseret Ortiz Martinez

Autores
Universidad Nacional Autónoma de México:
Lilian Álvarez Arellano, Patricia Ávila Díaz, Bulmaro Reyes Coria
Universidad Pedagógica Nacional:
Valentina Cantón Arjona, Adriana Corona Vargas
Escuela Normal Superior de México:
María Esther Juárez Herrera
Universidad del Valle de México:
Norma Romero Irene

Asesoría
Instituto de Investigaciones Filológicas, UNAM:
Rubén Bonifaz Nuño

Dirección editorial
Patricia Gómez Rivera

Coordinación editorial
Mario Aburto Castellanos, Olga Correa Inostroza

Corrección de estilo
Instituto de Investigaciones Filológicas, UNAM:
Jesús Gómez Morán

Lectura ortotipográfica
Diana Lorena Ferral Padilla

Producción editorial
Martín Aguilar Gallegos

Formación
Aida Paola Xospa Ramírez

Iconografía
Diana Mayén Pérez, María del Mar Molina Aja, Claudia C. Lasso Jiménez, Laura Raquel Montero Segura, Irene León Coxtinica

Ilustraciones
Marissa Arroyo (pp. 20-21, 60-61, 80-81, 101); Julián Cicero Olivares (pp. 40-41); Carmen Gutiérrez (pp. 22-26, 42-46, 62-66, 82-88, 101-106); Rocío Padilla (pp. 8-9, 28-29, 48-55, 68-69, 90-91). Idea original de las ilustraciones: Alex Echeverría (pp. 60-61, 80-81, 101).

Portada
Diseño: Ediciones Acapulco
Ilustración: *La Patria*, Jorge González Camarena, 1962
　　　　　　Óleo sobre tela, 120 x 160 cm
Colección: Conaliteg
Fotografía: Enrique Bostelmann

Servicios editoriales
Stega Diseño, S. C.

Diseño gráfico
Moisés Fierro Campos, Juan Antonio García Trejo, Paola Stephens Díaz

Primera edición, 2008
Segunda edición, 2009
Tercera edición, 2010
Cuarta edición revisada, 2014
Cuarta reimpresión, 2017 (ciclo escolar 2018-2019)

D. R. © Secretaría de Educación Pública, 2014
　　　　Argentina 28, Centro,
　　　　06020, Ciudad de México

ISBN: 978-607-514-812-0

Impreso en México
DISTRIBUCIÓN GRATUITA-PROHIBIDA SU VENTA

Agradecimientos
La Secretaría de Educación Pública agradece a los maestros y maestras, a las autoridades educativas de todo el país y a los expertos académicos por colaborar en la revisión de las diferentes versiones de los libros de texto.

　　　La SEP extiende un especial agradecimiento a la Academia Mexicana de la Lengua por su participación en la revisión de la cuarta edición 2014.

La Patria (1962),
Jorge González Camarena.

Esta obra ilustró la portada de los primeros libros de texto. Hoy la reproducimos aquí para mostrarte lo que entonces era una aspiración: que los libros de texto estuvieran entre los legados que la Patria deja a sus hijos.

El libro de texto que tienes en tus manos fue elaborado por la Secretaría de Educación Pública para ayudarte a estudiar y para que leyéndolo conozcas más de las personas y del mundo que te rodea.

Además del libro de texto hay otros materiales diseñados para que los estudies y los comprendas con tu familia, como los Libros del Rincón.

¿Ya viste que en tu escuela hay una biblioteca escolar? Todos esos libros están ahí para que, como un explorador, visites sus páginas y descubras lugares y épocas que quizá no imaginabas. Leer sirve para tomar decisiones, para disfrutar, pero sobre todo sirve para aprender.

Conforme avancen las clases a lo largo del ciclo escolar, tus profesores profundizarán en los temas que se explican en este libro con el apoyo de grabaciones de audio, videos o páginas de internet, y te orientarán día a día para que aprendas por tu cuenta sobre las cosas que más te interesan.

En este libro encontrarás ilustraciones, fotografías y pinturas que acompañan a los textos y que, por sí mismas, son fuentes de información. Al observarlas notarás que hay diferentes formas de crear imágenes. Tal vez te des cuenta de cuál es tu favorita.

Las escuelas de México y los materiales educativos están transformándose. ¡Invita a tus papás a que revisen tus tareas! Platícales lo que haces en la escuela y pídeles que hablen con tus profesores sobre ti. ¿Por qué no pruebas leer con ellos tus libros? Muchos padres de familia y maestros participaron en su creación, trabajando con editores, investigadores y especialistas en las diferentes asignaturas.

Como ves, la experiencia, el trabajo y el conocimiento de muchas personas hicieron posible que este libro llegara a ti. Pero la verdadera vida de estas páginas comienza apenas ahora, contigo. Los libros son los mejores compañeros de viaje que pueden tenerse. ¡Que tengas éxito, explorador!

Visita nuestro portal en <http://basica.sep.gob.mx>.

Índice

Formación Cívica y Ética • Tercer grado

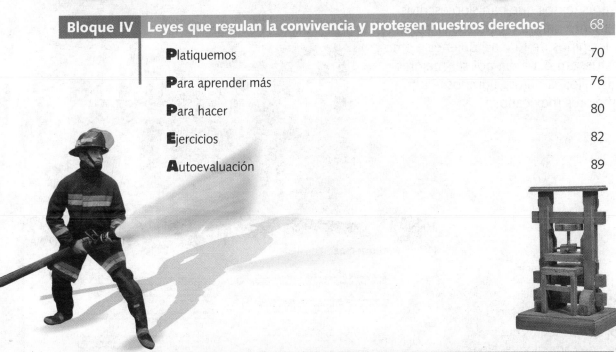

Conoce tu libro

Este libro de Formación Cívica y Ética es para ti, en él encontrarás varias lecturas y ejercicios que impulsarán tu desarrollo como persona y como integrante de la sociedad mexicana. Se espera que te formes como persona sana, alegre, íntegra, solidaria e interesada en la construcción de un ambiente democrático y participativo en el que los derechos de todos sean respetados.

México espera que reconozcas y aprecies la diversidad étnica y cultural de su población; que al mismo tiempo valores y cuides la variedad de recursos naturales de nuestra tierra.

En las distintas secciones de tu libro encontrarás textos que han sido escritos especialmente para ti y para todas las niñas y los niños de tu país, quienes, como tú, se esfuerzan día a día por ser mejores personas, hijos, amigos, alumnos y, por tanto, mejores mexicanos.

Entrada de bloque
Aquí se inicia cada bloque. Vas a encontrar el título, que se refiere al tema que abordarás con tus compañeros y compañeras. En esta página se dice para qué te sirve el contenido que vas a trabajar.

Platiquemos
De manera breve, aquí se explican los temas que comprende cada bloque. No es necesario leerlo todo a la vez, sino de acuerdo con el avance que vas logrando en el estudio de los contenidos.

Cenefa
Mira y analiza las imágenes de la cenefa. Cuentan una historia y hablan del patrimonio de todos. Sirven también para despertar tu interés en la investigación y para relacionar lo que aprendes en esta asignatura con otras del grado que cursas.

Para aprender más

México y el mar

México es una nación privilegiada, puesto que posee una superficie marítima de 3 149 920 km² (poco más de una y media veces la superficie territorial). Sus 11 122 km de extensión costera, islas, arrecifes, lagos, ríos y lagunas son una parte muy importante y digna de cuidados. Es aquí donde la Secretaría de Marina-Armada de México, mejor conocida como Marina, desempeña su labor de día y de noche, salvaguardando la seguridad interior y la defensa exterior del país, ya que de ello depende una parte fundamental de nuestra seguridad y de nuestra economía.

La Marina-Armada de México

La Marina nació como institución del Estado en 1821, como parte de la Secretaría de Guerra y Marina. Entre los sucesos históricos de esta institución destacan que el 23 de noviembre de 1825 una escuadrilla de buques mexicanos, (compuesta por la fragata *Libertad*, los bergantines *Bravo* y *Victoria*, y las balandras *Chalco*, *Orizaba*, *Papaloapan* y *Tampico*) se enfrentó a los navíos españoles que aún se mantenían frente al Castillo de San Juan de Ulúa, Veracruz; los hizo retornar a Cuba, consolidando así la independencia de México, y el hecho heroico que se suscitó el 21 de abril de 1914, cuando el cadete Virgilio Uribe y el teniente José Azueta, pertenecientes a la Escuela Naval Militar, defendieron con su vida la nación al enfrentarse a los invasores estadounidenses en el puerto de Veracruz, lo que valió al plantel el reconocimiento de "Heroico".

Secretaría de Marina-Armada de México

Virgilio Uribe

Nuestro territorio marítimo

El cuidado de nuestro patrimonio territorial

En la actualidad, la Marina-Armada de México cuenta con bases en los diecisiete estados costeros y con personal naval de Infantería de Marina, de aviación naval y marinos de guerra que operan modernos buques, aviones, helicópteros y vehículos terrestres para realizar su labor de preservar la integridad del territorio nacional y garantizar el estado de derecho en el mar, salvaguardar la vida humana, proteger los recursos marítimos, fluviales y lacustres, así como realizar investigaciones científicas, oceanográficas, meteorológicas y biológicas en esa área. El sistema educativo naval ofrece formación integral a jóvenes (hombres y mujeres) en escuelas profesionales, como la Heroica Escuela Naval Militar, la Médico Naval, la de Enfermería y la de Ingenieros de la Armada; y a nivel técnico profesional, las de Mecánica de Aviación, Maquinaria Naval, Electrónica Naval e Intendencia Naval.

La institución y su apoyo a la sociedad

Otras acciones importantes que realiza la Secretaría de Marina-Armada de México son la prevención y el control de la contaminación marítima, y la vigilancia y protección del medio marino. Ante amenazas de fenómenos naturales, como huracanes y ciclones tropicales, se establece el Plan General de Auxilio a la Población Civil en Casos y Zonas de Emergencia o Desastre. Este plan tiene como objetivo prestar los primeros apoyos de desalojo, proporcionar ayuda médica, trasladar a los heridos, suministrar agua potable y alimentos, transportar personas y material para los damnificados, además de acordonar las zonas afectadas, realizar labores de limpieza de caminos, así como de reconstrucción de carreteras. También debe salvaguardar la vida humana en el mar mediante operaciones de búsqueda, localización y auxilio de embarcaciones que se encuentren sin control, sin combustible, averiadas o a punto de naufragar.

Secretaría de Marina-Armada de México

56 57

Para aprender más
Son muy diversos los textos que aquí encontrarás, desde un cuento hasta una explicación sobre cuáles instituciones públicas abordan temas cívicos y éticos.

Para hacer

Es importante saber cómo realizar acciones con el grupo, y aprender a aprender, mediante distintos procedimientos.

Ejercicios

Por medio de actividades interesantes y divertidas podrás aprender, repasar y aplicar tus conocimientos.

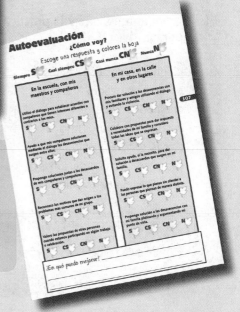

Autoevaluación

Lo que aprendiste te ha ayudado a modificar y a mejorar tu comportamiento. Evaluarte a ti mismo, te ayudará a fijarte nuevas metas y a avanzar en tu formación.

Niñas y niños cuidadosos, prevenidos y protegidos

Con el aprendizaje y la práctica podrás:

- Identificar los sitios o actos que pongan en peligro tu salud, y aprender a cuidarte.
- Reconocer algunos rasgos físicos, sociales y culturales que compartes con las personas de los grupos a los cuales perteneces.

Platiquemos

Seguramente tú y tus compañeras y compañeros de clase tienen varias características en común. Su edad, la escuela a la que asisten y el lugar donde viven les dan rasgos semejantes. Así, es probable que les guste jugar juntos, que conozcan las mismas canciones y hablen un mismo idioma.

También es seguro que cada uno de ustedes tiene características que le son propias. Puede ser, por ejemplo, algún platillo que le gusta comer, un juguete o libro favorito, o algún rasgo físico.

Lo mismo sucederá si comparas tus características individuales con las de las personas que componen otros grupos de los que formas parte, como tu familia o con tus amigos de la escuela. Piénsalo y verás que hay rasgos que tienen en común y otros que sólo tú posees y te hacen único.

Hospital de Jesús, escalera doble claustral, ejemplo arquitectónico muy avanzado para principios del siglo XVI

El derecho a la salud es fundamental para el desarrollo físico, emocional y social de las personas.

Durante el Virreinato, periodo que estudias en la cenefa de este libro, se crearon instituciones de salud que son antecesoras de las que hoy te protegen.

Las características de cada persona le dan identidad y la hacen única. Valorar y respetar lo que caracteriza a cada persona fortalece la convivencia en el aula. Esto te llevará a tratar a tus compañeros y tus compañeras de modo que nadie sea excluido de los juegos y las actividades escolares. Si cada uno respeta e incluye a los demás, nadie se sentirá mal ni quedará fuera de la vida escolar.

Cada persona pertenece a varios grupos, sea la familia, el grupo de amigos o la escuela. Los grupos ayudan a las personas que los forman a sentirse unidas a otras que las conocen, aceptan, ayudan y protegen. El cariño y la unión son muy importantes para todos los seres humanos.

Para ser parte de un grupo no es necesario tener características idénticas, sino respetar las normas de vida en común. Las características y diferencias de cada uno hacen más interesante compartir juegos, aprendizajes y labores.

Hospital de Jesús, patio interior

El Hospital de Jesús, primero en ser construido en México en 1524, todavía está en funciones en el centro de la capital de la República.

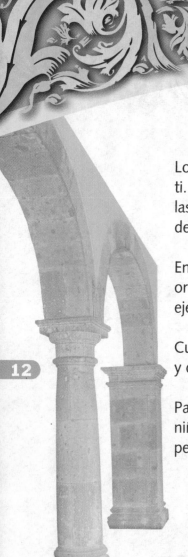

Los grupos a los que perteneces son fuente de experiencias valiosas para ti. Así, aprendes costumbres, formas de hablar, modos de ver y hacer las cosas. Nadie puede crecer o educarse solo. Cada uno necesita de los demás para aprender y desarrollarse.

En tu familia recibes cariño, valores y protección; en la escuela, respeto, orientación y compañerismo. En cada grupo cubres necesidades distintas y ejerces tus derechos.

Cuidarte y procurar tu buen desarrollo es obligación no sólo de tu familia y de tu escuela, sino de la sociedad.

Para protegerte, la ley prohíbe que los adultos maltraten a los niños y las niñas. Nadie debe golpearte o insultarte, pues estas acciones ponen en peligro tu integridad.

Hospital de San Juan de Dios, actualmente Museo Franz Mayer

Los hospitales de San Lázaro, San Hipólito y San Juan de Dios, creados entre 1552 y 1582, atendían a enfermos de lepra, a pacientes psiquiátricos y a personas desamparadas, respectivamente.

Aprende a resolver los problemas que tengas con los demás mediante el diálogo, y a dar y exigir respeto para favorecer la creación de espacios de convivencia donde puedes desarrollarte sanamente.

Toma en cuenta que cuidarte no sólo implica alimentarte de manera correcta, realizar actividad física, dormir, descansar y seguir normas de higiene, sino también poner atención a las señales de tu cuerpo. Avisa siempre a una persona mayor si sientes dolor, frío o algún malestar; también si te das un golpe en la cabeza, en alguna otra parte del cuerpo, o dejas de oír o ver bien.

El cuerpo humano es un sistema ordenado y en movimiento cuyas partes cumplen distintas funciones, como la respiratoria, la digestiva, la circulatoria y la locomotora. Comprender cómo funciona te ayuda a entender cómo cuidar tu salud y la de los demás.

Hospital de San Juan de Dios, interior

Cualquier problema de salud que tengas se resolverá mejor si se atiende a tiempo. Para cuidar la salud evita acciones que la pongan en riesgo y lleva a cabo las que la favorecen. Por ejemplo, las vacunas te cuidan contra enfermedades peligrosas y la actividad física fortalece tu cuerpo. En cambio, jugar con cohetes es muy peligroso y comer azúcar en exceso te perjudica.

Al conocerte mejor, entenderás que todas las personas tienen características físicas y mentales que les facilitan desempeñarse en alguna actividad y les dificultan otras. Todos podemos esforzarnos y mejorar en aquello que nos cuesta más trabajo y ayudar a otros en las actividades que podemos hacer mejor.

Es importante comprender qué riesgos hay en las actividades que realizas todos los días para así evitarlos, por ejemplo, si vas a preparar

En 1750 se fundó el Hospital de Terceros en la ciudad de México, para dar servicio a pobres y desamparados.

alimentos, deberás conocer los riesgos del gas y del fuego, así como la necesidad de tomar medidas de higiene y de combinar alimentos. Si regresas de la escuela sin que una persona adulta te acompañe, deberás conocer las rutas más seguras y no proporcionar información sobre ti a personas desconocidas, por ejemplo, no decirles dónde vives o tu número telefónico.

Tal vez algunas acciones que realices no te pongan en riesgo inmediato, pero deterioran el ambiente o la vida social, y a la larga te dañan. Son ejemplos de estas acciones tirar desechos en las calles, desperdiciar el agua o dañar bienes colectivos, como los teléfonos públicos o los libros de una biblioteca, así como contar mentiras.

El trato respetuoso en los diferentes grupos de los que formas parte mantiene un clima en que pueden ejercerse los derechos de todos. Esto te ayudará a vivir mejor y contribuirá a que la vida en nuestro país sea más justa.

Grabado antiguo del hospital e iglesia de San Hipólito (izquierda) y vista actual de la construcción (derecha).

¿Sabes qué hospitales antiguos se conservan en la entidad donde vives?
¿Cuál es la clínica de salud más cercana a tu domicilio?

La salud

La salud es fundamental para la realización personal y social; es decir, este concepto no sólo tiene que ver con la aparición de enfermedades, sino con el conjunto de acciones que contribuyen al bienestar físico de la persona y a mejorar la calidad de vida de una comunidad, facilitando la conservación de un adecuado estado de salud individual, familiar y colectivo.

La salud y la enfermedad no son fijas ni estáticas, cambian constantemente y están en estrecha relación.

Consumo de agua

El agua es necesaria para la vida de las personas, las plantas y los animales. Sin ella no podríamos vivir. Por eso debemos cuidarla y evitar que se contamine.

Cuando tomamos agua sucia o contaminada, nos enfermamos, porque con ella ingerimos microbios, parásitos y bacterias que causan enfermedades, por eso debemos tomar siempre agua desinfectada.

Di a tus padres cómo desinfectarla:

1. Hervir el agua

- Mantenerla hirviendo durante cinco minutos a partir del primer hervor.
- Dejarla reposar media hora.

2. Clorar el agua

- Agregar dos gotas de cloro de uso doméstico por cada litro de agua.
- Siempre hay que mantenerla tapada y al usarla no meter utensilios sucios en ella.

Para la desinfección del agua, se deben utilizar recipientes de plástico o vidrio, conservarlos tapados y dejar reposar el agua durante 30 minutos antes de su uso o consumo.

También, tu familia puede usar productos que se venden en las tiendas para desinfectar el agua, como la plata coloidal, siguiendo las instrucciones de la etiqueta.

Secretaría de Salud

16

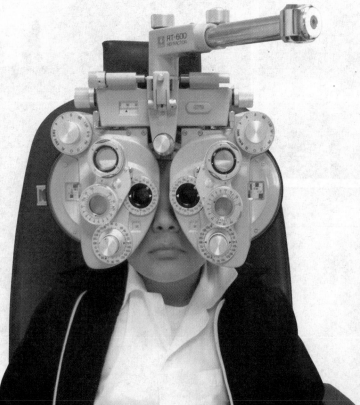

Influenza estacional

El virus de la influenza sobrevive hasta tres horas en las manos y hasta 72 horas en superficies lisas contaminadas por saliva de una persona infectada. La influenza es una enfermedad aguda de las vías respiratorias, es curable y controlable si se recibe atención médica oportuna y los cuidados necesarios en casa.

Se transmite de persona a persona a través de las gotitas de saliva que expulsamos al toser o estornudar. Los virus entran al organismo por la boca, nariz y ojos, principalmente cuando las personas enfermas o portadoras expulsan gotitas de saliva al estornudar o toser frente a otra sin cubrirse la boca y la nariz; al compartir utensilios o alimentos de una persona enferma; o al saludar de mano, beso o abrazo a una persona enferma de una infección respiratoria.

Las medidas preventivas son:

1. Lavarse las manos frecuentemente con agua y jabón o utilizar gel con base de alcohol.
2. Al toser o estornudar, cubrirse la nariz y boca con un pañuelo desechable o con el ángulo interno del brazo, a esta técnica se le llama estornudo de etiqueta.
3. No escupir. Si es necesario hacerlo, utilizar un pañuelo desechable, meterlo en una bolsa de plástico, anudarla y tirarla a la basura; después lavarse las manos.
4. No tocarse la cara con las manos sucias, sobre todo la nariz, la boca y los ojos.
5. Limpiar y desinfectar superficies y objetos de uso común en casas, oficinas, sitios cerrados, transporte, centros de reunión, entre otros. Ventilar y permitir la entrada de luz solar.
6. Acudir al médico si se presenta fiebre mayor a 38 °C, tos y dolor de cabeza.

Secretaría de Salud

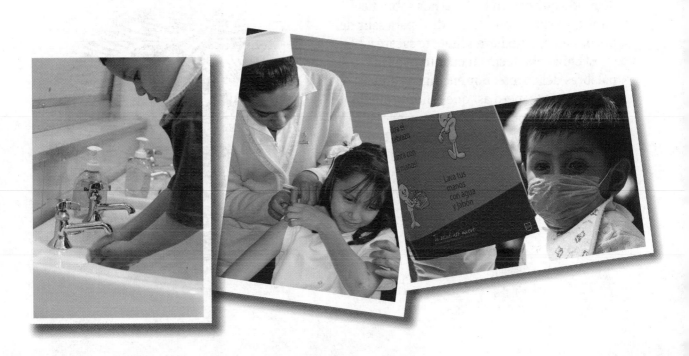

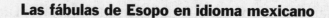

Las fábulas de Esopo en idioma mexicano

Las fábulas de Esopo llegaron a México durante los primeros años del Virreinato. Muy probablemente, el primer libro de texto de la época virreinal haya sido el manuscrito las *Fábulas de Esopo en idioma mexicano*, o náhuatl. Los estudiantes indígenas del Colegio de Santa Cruz de Tlatelolco aprendieron latín, griego y español y le enseñaron náhuatl a los frailes. Las fábulas enseñaban a los alumnos del Colegio a reflexionar y a tener cuidado de sí mismos. Se conservan en un manuscrito en la Biblioteca Nacional. Fueron traducidas al español por Salvador Díaz Cíntora. Se reproducen para ti con permiso de la Universidad Nacional Autónoma de México.

El chivo y el coyote

El chivo y el coyote, una vez que tenían sed, saltaron a un pozo cada cual por su lado; cuando se saciaron de agua miraba el chivo a todas partes buscando por dónde saldrían. Pero el coyote le dijo: "No te preocupes, ya vi lo que hemos de hacer para salir; si te paras de manos, poniéndolas contra la pared, de modo que caigan tus cuernos sobre tus lomos, yo subiré por detrás de ti para salir del pozo, y en cuanto haya salido, te sacaré a ti".

El chivo obedeció en cuanto oyó las palabras del coyote; por encima de aquél salió el coyote, pero así que salió, se quedó riendo en el brocal del pozo. Muy enojado estaba el chivo por la burla del coyote, pero el coyote le dijo al chivo: "Si tuvieras, mi amigo, tanto seso como barbas traes, habrías buscado por dónde salir antes de brincar al pozo".

Con esta fábula aprendemos que hay que pensar bien lo que intentamos hacer, para no caer luego en la imprudencia y ser ingenuos.

Fábulas de Esopo en idioma mexicano

El coyote y el puma

Un coyote no había visto jamás al puma, y una vez, sin pensarlo, se encontró con el puma; el coyote se espantó mucho y se desmayó; la segunda vez que se encontró con él, si bien se espantó, ya no fue tanto; la tercera vez ya se hizo fuerte, se le acercó y habló con él.

Esta fábula nos enseña que la primera impresión que se tiene de una persona puede estar relacionada con su apariencia física, la cual quizá nos provoca miedo, sin embargo, a partir de que tenemos mayor conocimiento de la persona, pueden desaparecer temores y desconfianza.

Fábulas de Esopo en idioma mexicano

Las ranas

Dos ranas vivían en un estanque, y cuando el estanque se secó en el verano, salieron en seguida a buscar un lugar donde vivir bien en el agua; en su carrera llegaron a un pozo, lo vieron profundo; inmediatamente dijo una de las ranas:
"Es un buen lugar, vivamos aquí".

Pero la otra rana respondió: "Buen lugar es este pozo, pero si también se seca, ¿cómo saldremos luego?".

En esta fábula aprendemos que no hay que empezar nada importante sin consideración, sino que es necesario que lo pensemos bien antes.

Fábulas de Esopo en idioma mexicano

Diccionario

Para ampliar tu vocabulario y comprender mejor los textos que lees, es útil consultar un diccionario. Ahí encontrarás el significado de las palabras que buscas.

En un diccionario las palabras se encuentran en orden alfabético. Una palabra puede tener varios significados. En el diccionario se indican primero los más frecuentes según el uso de la palabra en nuestra lengua.

Hacer un diccionario es tarea de las personas dedicadas a conocer el vocabulario de una región o país. Para llevar a cabo esta tarea, los especialistas recurren a fuentes escritas e investigan el uso vivo de una lengua; registran las palabras y dan una descripción lo más precisa posible de cada una. Crear el diccionario de una lengua es trabajo de muchos años.

Tú puedes hacer un fichero para recoger las palabras nuevas que vayas aprendiendo. Poco a poco irás comprendiendo todos sus significados, su utilización correcta, los usos coloquial y técnico de cada palabra, así como su origen.

Agrega fichas continuamente y modifica las que tengas. Este trabajo puedes realizarlo en grupo, y así será mucho mejor, pues el lenguaje es un fenómeno social. Lo adquirimos haciendo uso de él en los grupos en que convivimos, y tenemos mayor competencia comunicativa si somos cada vez más precisos.

Procura utilizar las nuevas palabras en tus escritos y en tus conversaciones; verás que tendrán mayor riqueza. Tus maestros y familia te guiarán en el uso correcto de estas nuevas herramientas de comunicación. Así cada día disfrutarás más de la lectura y la escritura.

20

Tomar decisiones

A medida que creces, aprendes a tomar nuevas decisiones. Al elegir lo que quieres hacer o decir, te haces responsable de los resultados o consecuencias de tus actos.

Por ejemplo, ¿te has dado cuenta de que a veces algunos de tus compañeros o los de otros grados usan un lenguaje inadecuado y ofenden a otros al utilizar expresiones que lastiman o insultan?

Piensa con detenimiento qué podría pasar si decides plantear esta problemática ante el grupo. Es posible que:

- A nadie le interese;
- te critiquen;
- a los demás también les moleste escuchar un lenguaje grosero u ofensivo,
- la mayoría prefiera no meterse en problemas.

Sin embargo, decides plantear tu inquietud ante el grupo:

Supongamos que el grupo decide apoyar tu propuesta de eliminar ofensas, convencido de que los beneficia a todos y es una labor que mejorará la convivencia en la escuela, pues va a cuidar la integridad de todos sin presentar riesgo alguno. Entonces:

- Discutan cómo pueden llevar a cabo su decisión;
- analicen distintas alternativas;
- elijan la opción que creen que tiene más posibilidades de éxito,
- repartan las tareas y esfuércense por realizarlas.

Si tus compañeros deciden no participar, puedes buscar otra forma de trabajo conjunto para cuidarte siempre sin ofender a nadie.

Cuido mi salud

Observa las siguientes imágenes y describe las acciones que deben realizar estos niños para cuidar su salud.

_____

_____

_____

_____

¿Cuál es tu fuente de información?

_____

_____

Higiene personal

Lee el texto "La salud", en la página 16.

Piensa y escribe algunas medidas de higiene que debes seguir para cuidar el buen funcionamiento de tu cuerpo.

_____

_____

_____

_____

Analiza: ¿por qué es importante que se garantice tu derecho a la salud?

_____

_____

Investiga: ¿cuál es el servicio médico más cercano a tu domicilio?

Nombre de la institución que brinda el servicio:

_____

Dirección: _____

Teléfono: _____

¿Da servicio a todo el público? _____

¿Qué servicios especiales brinda a las niñas y los niños?

_____

_____

¿Por qué es importante que existan estos servicios de salud en tu localidad?

_____

_____

_____

Protegiendo nuestro cuerpo

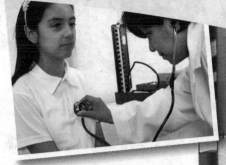

Para andar en bicicleta, patineta o patines se requiere un equipo de protección personal y mucha práctica. Además de los deportes, también hay oficios y profesiones en los que se necesita un equipo especial para proteger el cuerpo.

Lee los siguientes enunciados y une cada uno con el equipo de protección que corresponda a cada actividad. Anota en la línea la parte del cuerpo que se protege.

Hacer experimentos en laboratorio.	casco _____ _____
Eliminar caries o extraer un diente de un paciente.	bata y anteojos protectores _____ _____
Andar en patineta.	tapabocas y guantes _____ _____
Jugar futbol americano.	espinilleras _____ _____
Jugar futbol soccer.	rodilleras, coderas y casco _____ _____

Discute con tus compañeros y profesor qué sucedería si las personas que realizan actividades como las de los enunciados anteriores no protegieran su cuerpo.

La prudencia

Lee las fábulas "El chivo y el coyote" y "Las ranas" en las páginas 18 y 19. ¿Cuál es el mensaje que te dan estas fábulas?

_____

_____

_____

Identifica dos o tres lugares u objetos que representan un riesgo para ti.

_____

_____

_____

Ahora imagina una conversación entre las ranas, el chivo y el coyote en la que mencionen circunstancias de riesgo. Escribe aquí su conversación.

_____

_____

_____

_____

_____

Autoevaluación

¿Cómo voy?

Escoge una respuesta y colorea la hoja.

Siempre **S**   Casi siempre **CS**   Casi nunca **CN**   Nunca **N**

En la escuela, con mis maestros y compañeros

Evito burlarme de los rasgos físicos de mis compañeros, como su tono de piel o estatura.

S   CS   CN   N

Protejo mi integridad física en lugares de riesgo como escaleras o patios.

S   CS   CN   N

Identifico dónde puedo ejercer derechos como los de salud, seguridad y recreación.

S   CS   CN   N

Identifico conductas que van en contra del bienestar de las niñas y los niños, como el maltrato y el abandono.

S   CS   CN   N

Integro a niños y niñas con alguna discapacidad a mis juegos y estudios escolares.

S   CS   CN   N

En mi casa, en la calle y en otros lugares

Cuido mi alimentación, mi aseo personal y acudo al centro de salud cuando lo requiero.

S   CS   CN   N

Protejo mi integridad en mi casa y tengo precaución al ir por la calle y al jugar.

S   CS   CN   N

Apoyo soluciones para que las niñas y los niños en situación de calle, de abandono o desatención a discapacidades disfruten de sus derechos.

S   CS   CN   N

Comunico los síntomas o malestares que pueden indicar alguna enfermedad.

S   CS   CN   N

Me intereso por conocer museos, monumentos y fiestas típicas del lugar donde vivo.

S   CS   CN   N

¿En qué puedo mejorar? _____

_____

_____

Aprendo a expresar emociones, establecer metas y cumplir acuerdos

Con el aprendizaje y la práctica podrás:

• Distinguir entre varias maneras de expresar sentimientos y emociones, y elegir las que evitan la violencia.

• Reconocer que tienes necesidades parecidas, diferentes u opuestas a las de los demás, por lo que debes aprender a conciliar y llegar a acuerdos justos.

• Aprender qué es la libertad, planear proyectos y fijarte metas para cumplirlas.

Platiquemos

Son muchos los cambios que ocurren en la vida de las personas a medida que crecen y se desarrollan. Los niños de tu edad se comportan con mayor independencia y cuidado.

Parte de tu crecimiento y desarrollo es distinguir tus emociones y las situaciones en que se presentan. Como cualquier persona puedes sentir dolor, tristeza, miedo, alegría, sorpresa, dudas o certezas. Es importante que aprendas a distinguirlas y expresarlas correctamente.

Manejar una emoción no quiere decir que evites sentirla o que la escondas, sino tratar de entenderla y expresarla adecuadamente. Si, por ejemplo, un compañero o una compañera te arrebatan un libro o algo tuyo es probable que sientas sorpresa y enojo, pero no por eso vas a ofenderlo o a golpearlo. Lo mejor es no gritar ni pegar, sino usar las palabras adecuadas para pedir que se te devuelva, y hacer notar que no estás de acuerdo con que se tome lo tuyo sin tu consentimiento. De ser necesario, pide el apoyo de tus maestros.

Acueducto de Querétaro, Querétaro, litografía de principios del siglo XX

Durante el Virreinato se construyeron obras públicas que facilitaron la comunicación y la vida colectiva.

Es importante expresar tus sentimientos para que los demás te entiendan. Tal vez en algún momento te puedas sentir triste porque en tu casa o en tu escuela no te incluyan en alguna actividad que te interesa. Lo mejor es expresarlo, sin berrinches ni malos modos, de manera que se considere la posibilidad de incluirte, dado tu interés.

Para que tengas la posibilidad de expresar lo que quieres, lo que te gusta, lo que necesitas, es útil pensar en ti, en tus metas y en los apoyos que requieres para alcanzarlas. Por ejemplo, si quieres leer mejor, expresa tu deseo a tus maestros y a tu familia, de modo que pongan a tu alcance libros interesantes para que practiques la lectura y mejores tu desempeño en la escuela.

Pensar qué quieres y cómo lograrlo, y definir cómo y cuándo lo llevarás a cabo, es lo que se llama **ponerse una meta**. Tal vez desees comenzar a tocar la flauta, cantar en el coro o participar en la escolta de la ceremonia cívica de tu escuela. Entonces deberás meditar sobre qué acciones debes realizar y qué ayuda requieres.

Acueducto de los Remedios, cerca de la Ciudad de México

Los acueductos llevaban agua desde los manantiales hasta las principales ciudades para que sus habitantes pudieran cubrir sus necesidades básicas.

Tu esfuerzo diario favorecerá, en gran medida, que la meta se cumpla. Ten confianza en que con el conocimiento, la práctica y el empeño, lograrás las metas que te propongas. Las personas mayores pueden orientarte y darte ayuda. Puedes empezar por metas a tu alcance, como mantener ordenado tu cuarto o mejorar tus calificaciones.

La amistad y el compañerismo te ayudan a cumplir tus metas. Si logras comunicar a tus amigos sentimientos, ideas y metas, contarás con su ayuda. Esto es así porque dos ingredientes muy importantes de la amistad y del compañerismo son la reciprocidad y la solidaridad.

Las amistades que se hacen en la escuela son fuente de alegría y apoyo. Tal vez te venga a la mente el recuerdo de algún momento en el cual recibiste comprensión y ayuda de tus amigos. No desperdicies ninguna oportunidad de ayudar, de invitar a jugar y a estudiar, de respetar y apreciar a tus compañeras y compañeros. Esta actitud hará un ambiente favorable para el aprendizaje y el bienestar de todos.

Acueducto de
Morelia, Michoacán

Acueducto de Zacatecas, Zacatecas

La amistad y el compañerismo no significan que se deba pensar de idéntica manera o querer lo mismo. Cada persona es diferente, y aunque los niños y las niñas de tu edad tengan necesidades semejantes, cada uno puede tener distintas formas de pensar y diversos modos de hacer las cosas. Por ello, y para preservar y fortalecer los sentimientos de unión en tu clase, aprende a escuchar, a tratar de imaginar cómo ven y sienten las personas que te parecen distintas.

Hay maneras sencillas de prevenir los problemas de la convivencia, así como de hacer que sea pacífica y productiva. Una es el respeto; la otra, cumplir con tu palabra.

El secreto del respeto es tratar a todas las personas como seres valiosos que deben ser tomados en cuenta. Al contrario, las groserías, los malos tratos, las burlas, las faltas de respeto de cualquier tipo, hacen sentir mal a las personas y las alejan de quien las trata así. El respeto se debe practicar siempre.

Acueducto de Rincón de Romos, Aguascalientes

Acueducto de Querétaro, Querétaro

Las palabras tienen peso. Al dar nuestra palabra, establecemos acuerdos que nos comprometemos a cumplir. Todos debemos cuidar el valor de la propia palabra, porque hablando se entiende la gente, y si los demás no pueden confiar en nuestra palabra, no podrán confiar en nosotros. Sin la confianza en los demás, se dificulta la convivencia.

La justicia y la libertad son requisitos para que se desarrollen las personas. Dar a cada quien lo que le corresponde de acuerdo con la ley y elegir entre distintas maneras de hacer el bien son dos condiciones que favorecen el desarrollo de las personas. En nuestras relaciones con los compañeros y amigos hay que poner en práctica la justicia y la libertad.

Los seres humanos nacemos libres en el sentido de que no estamos obligados a seguir una actividad única, o un destino, como las abejas

Fuente de Salto del Agua,
ciudad de México

Puente sobre el Canal de la Viga,
Ciudad de México

Las personas llevaban el agua a sus casas
en cántaros o toneles.

que están destinadas a fabricar miel; ni podemos ser tratados como un objeto para ser vendido o intercambiado. Este tipo de libertad la tenemos desde que nacemos. Sin embargo, somos libres también en otro sentido: podemos elegir entre muchas alternativas la manera de conducir nuestras vidas.

El ejercicio de esta libertad requiere práctica, conocimientos y experiencia. A tu edad seguramente tu familia decide por ti sobre muchos asuntos. Pero hay circunstancias donde tú ya decides. Por ejemplo, con quién jugar. Date cuenta de que durante toda la vida tendrás que tomar decisiones. Por ahora puedes ser capaz de elegir aquello que no te haga daño ni perjudique a nadie, por esto es importante que tengas la orientación y el cariño de tus padres y maestros, quienes te ayudarán para que tomes las decisiones más adecuadas para ti.

Camino a la ciudad de Guadalajara, Jalisco

Para comunicar el territorio y facilitar el comercio se construyeron caminos, puertos y puentes.

El trabajo es esencial para alcanzar metas individuales y sociales.

El labriego y sus hijos

Un labriego que estaba para morirse, viendo que no tenía posesiones ni riqueza que dejar a sus hijos, quiso que en lugar de éstas tuvieran como consuelo la práctica y perfecto conocimiento de la agricultura; los llamó, por tanto, y les dijo: "Hijos míos, ya veis cómo estoy; todo lo que pude en vida lo he repartido entre vosotros, pero todo ello tendréis que buscarlo en nuestro viñedo."

Apenas les hubo indicado esto el viejo, cuando murió. Los hijos creyeron que había enterrado su oro en la viña: tomaron de inmediato sus azadones, empezaron a remover la tierra de la viña; no vieron nada de oro, pero la viña quedó bien trabajada y labrada.

Esta fábula nos enseña que el gran trabajo y el mucho cuidado se convierten en verdadera riqueza.

Fábulas de Esopo en idioma mexicano

La hormiga y la paloma

Una hormiga sedienta bajaba a la fuente, iba desfalleciendo y cayó al agua, y cuando una ola ya se la llevaba y la quería ahogar, una paloma que estaba por ahí sobre un árbol cuando vio que la hormiga ya se quería ahogar quebró una ramita y la tiró al agua; al verla la hormiga, se puso en cuclillas sobre ella y así salió del agua.

No mucho después apareció un pajarero, que al ver la paloma sobre el árbol, empezó a alistar sus cañas para cazarla; cuando la hormiga vio que estaba aquélla a punto de caer, mordió en un pie al pajarero; éste se espantó y dejó ahí las cañas; al ver la paloma cómo caían y se rompían se espantó, levantó el vuelo y se puso a salvo.

Esta fábula nos enseña cómo hemos de ser agradecidos con quienes nos favorecen, y devolverles el favor que recibimos de ellos.

Fábulas de Esopo en idioma mexicano

El trabajo

El trabajo es una actividad humana que mediante el esfuerzo físico o intelectual contribuye a la creación de satisfactores, como servicios (agua, transporte, luz), obras (carreteras, calles) o productos que consumimos (alimentos, artículos de aseo).

El trabajo siempre viene acompañado del pago de un salario, acorde con la importancia del mismo y el esfuerzo realizado.

Secretaría del Trabajo y Previsión Social

El sentido del ahorro

El ahorro es un ejercicio de autorregulación. Al practicarlo pones límite a tu manera de usar las cosas, evitas el desperdicio y previenes carencias. El ahorro es, también, un modo de cuidar el salario de quienes te protegen y quieren.

Cuidar los recursos es un hábito que se desarrolla poco a poco. Ahorrar es no desperdiciar, no malgastar; cuidar los bienes de tu casa, de tu localidad y de tu país. Siempre que ahorras, tomas en cuenta a los demás, su historia, su trabajo, sus necesidades y su futuro.

Los soldadores

Aunque no lo veas, es necesario que valores el trabajo que, con libertad y respeto a la ley, realizan muchas personas, contribuyendo así al desarrollo de la sociedad. Por ejemplo, los soldadores son trabajadores de la industria de la construcción. Su trabajo consiste en unir dos o más piezas metálicas, generalmente de acero, usando, por ejemplo, electricidad. Al fundirlas, convierten esas piezas metálicas en una sola.

Sin su trabajo no podrían existir los edificios altos, los puentes, las torres y plataformas petroleras, ni las fábricas con sus máquinas y equipos. Tampoco los ferrocarriles, los barcos, los aviones, los automóviles y las bicicletas.

El trabajo de los soldadores se puede desarrollar en una fábrica, en un taller o en una construcción. También a gran altura, e incluso bajo el agua. En México tenemos muchos ejemplos de construcciones en las que puede apreciarse el trabajo de los soldadores.

¿Qué otro trabajo "invisible" puedes descubrir a tu alrededor?

México, D. F., septiembre 26, 2009

Amigos, niños:

Hoy he decidido tomar el lápiz y el papel, como cuando tenía la edad de ustedes. Como cuando tenía sus ilusiones, sus juegos y sus fantasías.

Quiero comunicarles que deseo muchísimo tener un intercambio de ideas. Primero, porque quiero que sepan que respeto a los niños y sus derechos, porque significan el conocimiento que los adultos debemos poseer al mirar el futuro. Quiero decir que los niños son los herederos de virtudes o defectos, triunfos o fracasos, educación o ignorancia que les legamos los mayores.

Decidí escribirles hoy, porque estuve paseando por las calles del Centro Histórico, donde se encuentra el museo que lleva mi nombre; lugar cercano a donde viví de niño. Eché de menos muchos recuerdos que aún tengo en la memoria, de cuando tenía siete, ocho o nueve años.

Miré las calles. Y algo me sorprendió.

La memoria fotográfica, tan fuertemente desarrollada en mí, a fuerza de observar el mundo que me rodea para dibujarlo o pintarlo, se dio cuenta de que ya no hay niños jugando en las calles, como antaño… me percato de que ya no hay juegos de canicas, de trompo, de yo-yos… de papalotes que vuelan… ni pajaritos que predicen la suerte… apenas hay algún cilindrero con su nostálgica música que nos deja añoranzas de amores, de cariños, de ternura hacia esta ciudad de México.

Y vuela mi pensamiento a mi madre que pintaba marinas y yo, muy niño, conocía en sus dibujos el mar, el cielo y *la libertad*, por los pájaros que volando y cruzando las nubes, se perdían…

Creo que por ello, desde siempre, tengo hoja de papel y lápiz en mano, con los cuales encuentro la felicidad al dibujar o pintar; alejándome de la violencia y de la ociosidad que por lo regular conllevan a las compañías peligrosas… a la corrupción y al vicio, que son las peores cadenas con las que al ser humano se le priva de sus más preciados dones: razonar, amar y expresar sus emociones y sentimientos libremente.

Somos humanos, los seres que, por el pensamiento y el origen espiritual que dicen que tenemos, vivimos en el planeta llamado *Tierra*; al que hay que preservar con todos los valores que sólo nuestra especie posee: la paz, las artes, el respeto, la convivencia y la justicia.

Para los que leyeron esta carta espero que el destino les depare una vida de éxitos y felicidad.

Su amigo

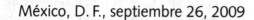

Artista plástico

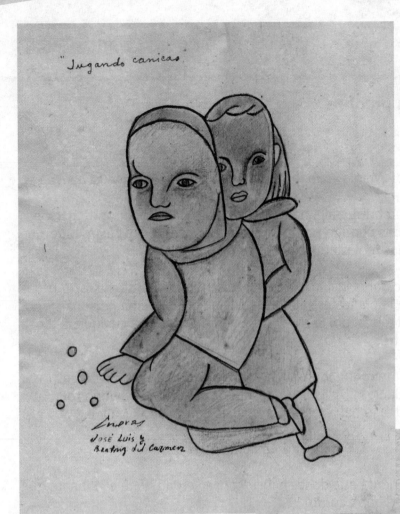

"Jugando canicas"

José Luis Cuevas,
*Jugando canicas, José Luis
y Beatriz del Carmen*,
sin fecha, lápices de colores
sobre papel,
37 × 30.5 cm

José Luis Cuevas,
Yo de niño jugando yo-yo, 2008,
lápiz y pastel sobre papel,
34.5 × 28.5 cm

El poder de la palabra

Hola, niño o niña:

¿Me recuerdas? Soy Marco Tulio, tu profesor DEL ARTE DE HABLAR PARA CONVENCER.

El año pasado aprendiste algunas formas para hacerte oír por personas distraídas, o enojadas contigo porque hiciste algo que no les gustó, o porque creían que los habías molestado, tuvieran o no razón.

No siempre es necesario luchar contra esos sentimientos adversos; muchas veces el motivo de la plática es superior a cualquier problema personal, y por sí mismo interesa a todos, por lo que quieren escuchar lo que cualquiera tenga que decir al respecto.

Por ejemplo, se rompió un vidrio en la escuela, y la maestra o el maestro se lo quiere cobrar a Juanito. A nadie le gusta que le cobren un vidrio roto, aun cuando en realidad él lo haya roto. ¿Tú quieres defenderlo? Muy bien.

Defender a un compañero

En primer lugar recuerda que debes hablar con la verdad. Para ello, tienes que investigar qué fue lo que ocurrió.

Si Juanito rompió el vidrio a propósito, tendrá que reponerlo.

Si fue por accidente, todos los que estaban jugando tendrán que hacerse responsables de la reparación. Cuando las cosas se hacen en equipo, éste es responsable de lo que ahí ocurra. Todos disfrutan, todos asumen su responsabilidad. La escuela es un equipo.

40

Ahora bien, no puedes negar el hecho, porque ahí está el vidrio roto. Tampoco puedes decir que Juanito no lo rompió, porque hay testigos que vieron cuando él lo hizo. Hasta aquí, el discurso ante la maestra o el maestro sería así:

> *Maestra: Ciertamente Juanito rompió el vidrio, pero él no tiene por qué reponerlo, pues no lo hizo intencionalmente.*

Para probar lo anterior, habrá que razonar entonces otras circunstancias.

El vidrio lo rompió durante el recreo, mientras jugaba a los tazos con otros compañeros. Jugar a los tazos no está prohibido. Los juegos expresamente prohibidos durante el recreo en esta escuela son el futbol, para no lastimar a los transeúntes y precisamente para no romper vidrios. Si los tazos fueran peligrosos, sin duda la directora los habría prohibido. Cabe pensar también que si en efecto los tazos no son peligrosos, puesto que así lo consideraron las personas mayores, entonces el vidrio probablemente ya estaba estrellado, o tal vez mal colocado, o era de tan mala calidad que incluso un inofensivo tazo lo rompió. Entonces el discurso podría continuar así:

41

> *¡Algo grave ocurre aquí! Como es imposible romper un vidrio con un tazo, o entonces el vidrio ya tenía algún defecto y nadie se había dado cuenta de eso, o estaba tan mal colocado que bastó ese pequeño golpe para hacer que se cayera. Pero como no es conveniente que nos quedemos sin vidrio, Juanito está de acuerdo en colaborar, junto con sus compañeros que estaban jugando, y con la escuela, para que se reponga el vidrio.*

Así, al ser valiente y ayudar a que se respete la verdad, demuestras que Juanito es inocente, pero también responsable en su comunidad escolar.

¿Cómo expresas tus emociones?

Inventa el final de esta historia.

Miguel, Rubén y Rocío son amigos desde primer año y siempre se han prestado sus juguetes. Jugando con Rocío, Miguel rompió un muñeco de Rubén. Cuando Rubén se enteró…

_____

_____

_____

De acuerdo con este final, describe las emociones de cada uno de los amigos.

Rocío _____

Rubén _____

Miguel _____

Comenta con tus compañeros el final que cada uno le dio a la historia y las emociones de cada personaje.

¿En cuál de los finales presentados se expresaron las emociones de mejor manera?

_____

_____

Yo comunico a los demás mis emociones:

- Con miedo ⃝
- Con violencia ⃝
- Con seguridad ⃝

- Con tranquilidad ⃝
- No las expreso ⃝

Comenta con tus compañeros, reflexiona y completa la siguiente frase.

"Puedo expresar mis emociones y exigir mis derechos sin ofender a nadie si…

_____

_____

_____ "

Dibuja cómo hubieras expresado tus emociones ante una situación como la de Miguel.

Ser agradecidos

Lee con atención la fábula "La hormiga y la paloma" en la página 36 y responde.

¿Alguna vez has estado en el lugar de la hormiga o de la paloma?

_____

¿Cómo te sentiste?

_____

_____

¿Cómo agradeces a tu familia todo lo que hace por ti? Escribe un poema o haz un dibujo para expresar tus sentimientos.

Enseña este ejercicio a tus familiares, anota cómo te sentiste al hacerlo, y pregúntales cómo se sintieron al verlo o leerlo.

Yo me sentí _____

_____

Mi familia se sintió _____

_____

Mis metas

Lee los siguientes enunciados. Marca con una palomita aquellos aspectos que describen tu conducta.

- No encuentro mis útiles porque mi mochila está desordenada.

- Tardo en vestirme para ir a la escuela porque en mi recámara las cosas están fuera de su lugar.

- Cuando no me compran lo que quiero, hago berrinche.

- Como alimentos de bajo valor nutritivo todos los días.

- Cuando pierdo en los juegos, me enojo y me peleo con mis amigos.

Si marcaste algunos de los enunciados, elige uno y establece metas para mejorar.

Anótalas en el cuadro siguiente.

Mi meta es mejorar en:

_____

Para lograrla voy a:

_____

_____

Cada semana revisa tus logros y fíjate nuevas metas.

Alegría

Dibuja en el cuaderno una máscara que exprese alegría.

Decora tu máscara con los colores, diseños y materiales que en conjunto te den idea de entusiasmo y alegría.

Inventa un personaje que lleve esa máscara, y ponle nombre. Ahora escribe una historia de ese personaje, puedes recordar algunas situaciones que viviste y comentar lo que sentiste.

_____

_____

_____

_____

_____

_____

Autoevaluación

¿Cómo voy?

Escoge una respuesta y colorea la hoja.

Siempre **S** Casi siempre **CS** Casi nunca **CN** Nunca **N**

En la escuela, con mis maestros y compañeros

Expreso mis sentimientos y emociones mediante palabras, gestos, dibujos, cantos, etcétera.

Expongo con seguridad y respeto mis dudas y comentarios en clase.

Me pongo metas para mejorar mi desempeño en algo.

Reconozco que cuando alguien no cumple los acuerdos tomados en el grupo perjudica a los demás.

Participo en discusiones sobre las ventajas y desventajas de distintas soluciones para problemas colectivos.

En mi casa, en la calle y en otros lugares

Muestro paciencia y comprensión cuando mis deseos no se cumplen de inmediato.

Soy tolerante con las ideas de los demás y acepto que no siempre mi opinión prevalezca sobre las otras.

Expreso mis emociones y sentimientos, pero evito ser violento cuando algo me disgusta.

Identifico y analizo diversas alternativas de solución para los problemas que se me presentan.

Planeo cómo alcanzar una meta familiar y cumplo las acciones que elijo.

47

¿En qué puedo mejorar? _____

_____

_____

El cuidado del ambiente y el aprecio a nuestra diversidad cultural

48

Con el aprendizaje y la práctica podrás:

- Reconocer que eres parte de un país con gran diversidad y riqueza cultural.
- Saber cómo cuidar el ambiente en colaboración con los demás.
- Actuar en contra de la injusticia y la discriminación.

Platiquemos

La tierra en que nacemos, crecemos y nos desarrollamos es hermosa a nuestros ojos porque es nuestra. Su clima, vegetación y especies animales que la habitan le dan colorido y variedad. Formamos parte de ese lugar del mismo modo que de nuestro país, su historia, sus costumbres y tradiciones.

Las personas son imprescindibles para mantener y conservar el sitio donde viven. Tus bisabuelos, abuelos y padres, así como los de tus compañeros, han transformado y cuidado el lugar donde vives para que sea tu herencia y patrimonio. La palabra *patrimonio* significa "lo que viene de los padres".

El lugar donde vives, su historia y sus tradiciones constituyen el patrimonio que te pertenece y del que tú eres parte. En ese sentido, *patria* es el lugar donde naciste o al que te sientes vinculado. Por ello, hay que amarla y cuidarla.

Pitahaya, fruta originaria de México y otros países centroamericanos

Piña, fruta originaria de Brasil

En el Virreinato se dieron a conocer a todo el mundo las plantas originarias de tierras americanas, como la pitahaya, la piña y el nopal.

Tu lugar en México tiene nombre e historia. Puede ser una ranchería, un pueblo, un barrio, una colonia o una ciudad; en cualquier caso, es tuyo. Su forma de vida social y su ecología explican buena parte de tu manera de ser.

En el país tenemos múltiples tradiciones y costumbres: canciones, formas de celebrar bodas o nacimientos, fiestas civiles y religiosas. También se hablan muchas lenguas. Por ello decimos que tenemos diversidad lingüística y cultural.

Cada localidad tiene sus propias características, pero sus habitantes comparten bienes que son de todos. Por ejemplo, caminos, carreteras, calles, servicio de agua, drenaje y electricidad son bienes comunes que a todos conviene cuidar, pues facilitan la vida diaria y la hacen mejor.

El lugar donde vivimos nos ofrece patrimonio, identidad y pertenencia. Es un bien común; por ello, todos debemos colaborar para que vivamos mejor, más cómodamente y con mayor seguridad.

Nopal, planta representativa de México

En el siglo XVI, Gonzalo Fernández de Oviedo y Valdés registró el uso que los grupos prehispánicos le daban al nopal como alimento y medicina. México tiene más de cien especies de esta cactácea.

Todos los miembros de una localidad estamos igualmente obligados —en consideración con la edad y condición de cada individuo— a proteger el patrimonio que nos da identidad y pertenencia, a cuidar y enriquecer los bienes que nuestros padres y abuelos nos enseñaron a amar.

Es bueno tener tradiciones y saber preservarlas. En ocasiones es necesario cambiarlas. Las costumbres y tradiciones se han construido a lo largo del tiempo en la vida de muchas generaciones. Entonces, puede ocurrir que lo que fue útil y facilitó la vida hace cien o doscientos años, hoy ya no lo sea.

Para que las tradiciones puedan preservarse y sobrevivir son necesarios algunos cambios. Por ejemplo, sigue viva la costumbre de comer ciertos platillos de preparación laboriosa, como el mole, pero hoy tenemos instrumentos de cocina que antes no existían y facilitan su preparación en menor tiempo.

Cada generación recoge y realiza una tradición o costumbre según sus posibilidades y su forma de vida. Lo importante es practicar lo más valioso, lo que da origen a las tradiciones y costumbres: estar juntos y saber vivir unos con otros.

¿Conoces estas plantas?

Una tradición o costumbre puede y debe cambiar cuando impide o pone en peligro la salud, la libertad o el trato justo, respetuoso e igualitario hacia algunos de los miembros de la sociedad. Estos cambios hacen posible que perdure la vida social armónica y progrese éticamente la sociedad.

Puede ser costumbre, por ejemplo, que las niñas realicen las labores domésticas, o que los niños abandonen la escuela para trabajar; sin embargo, tales usos deben cambiar, pues se afectan los derechos básicos de las personas.

Las sociedades y las personas pueden mejorar cuando sus costumbres son más democráticas y la educación está extendida, pues se reconocen y respetan los derechos de las personas. La formación ciudadana ayuda a que mejoren nuestros modos de vida y progresen las sociedades.

Es importante identificar cuando, por tradición o costumbre, se aplican tratos injustos y poco igualitarios por los cuales alguna persona pueda ser discriminada o maltratada. Ese trato debe cambiar.

¿Cuántas variedades de chile y tomate conoces?

Una fuente frecuente de discriminación es establecer características culturales y sociales a las personas a partir de estereotipos, que son modos parciales y distorsionados de ver y valorar a las personas por uno de sus rasgos, como su edad, sexo o nacionalidad.

Al guiarnos por estereotipos, antes de conocer a las personas, o incluso sin conocerlas, creemos saber cómo son y actúan, sin darles oportunidad de expresarse. Es decir, las juzgamos antes de conocerlas, las prejuzgamos. Ése es el origen de lo que se llama *prejuicio*.

Actuamos con prejuicio, prejuzgamos, por ejemplo, si decimos que hay juegos, como el futbol, que las mujeres no pueden jugar porque son débiles y se ven mal disputando un balón, o que ellas sólo pueden dedicarse a coser o cocinar, actividades que los hombres no deben realizar.

Por el contrario, pensamos y actuamos sin prejuicio, es decir, sin obedecer a estos estereotipos, si entendemos que toda persona puede dedicarse a

¿Conoces el origen de estas plantas?

cualquier actividad, independientemente de que sea hombre o mujer, pues la vemos precisamente como persona, con toda su dignidad y sus derechos, y no de manera parcial, como la presenta el estereotipo.

Disminuir prejuicios y estereotipos ayuda a pensar las cosas mejor, y favorece un cambio de costumbres, formas de pensar y de actuar que, aunque parezcan naturales, están equivocadas.

Creer, por ejemplo, que podemos utilizar el agua o el aire a nuestro antojo, sin cuidados y sin velar por su preservación, a menudo es resultado de sentirnos dueños de la naturaleza, sin conciencia alguna de que mantenemos una forma de ser, pensar y vivir que debemos cambiar porque nos afecta.

Cuidar la naturaleza, su riqueza y la de nuestra región, y cambiar las formas de vida, tradiciones o costumbres que la dañen, es benéfico para todos.

México y el mar

México es una nación privilegiada, puesto que posee una superficie marítima de 3 149 920 km² (poco más de una y media veces la superficie territorial). Sus 11 122 km de extensión costera, islas, arrecifes, lagos, ríos y lagunas son una parte muy importante y digna de cuidados. Es aquí donde la Secretaría de Marina-Armada de México, mejor conocida como Marina, desempeña su labor de día y de noche, salvaguardando la seguridad interior y la defensa exterior del país, ya que de ello depende una parte fundamental de nuestra seguridad y de nuestra economía.

La Marina-Armada de México

La Marina nació como institución del Estado en 1821, como parte de la Secretaría de Guerra y Marina. Entre los sucesos históricos de esta institución destacan que el 23 de noviembre de 1825 una escuadrilla de buques mexicanos, (compuesta por la fragata *Libertad*, los bergantines *Bravo* y *Victoria*, y las balandras *Chalco*, *Orizaba*, *Papaloapan* y *Tampico*) se enfrentó a los navíos españoles que aún se mantenían frente al Castillo de San Juan de Ulúa, Veracruz; los hizo retornar a Cuba, consolidando así la independencia de México; y el hecho heroico que se suscitó el 21 de abril de 1914, cuando el cadete Virgilio Uribe y el teniente José Azueta, pertenecientes a la Escuela Naval Militar, defendieron con su vida la nación al enfrentarse a los invasores estadounidenses en el puerto de Veracruz, lo que valió al plantel el reconocimiento de "Heroico".

Secretaría de Marina-Armada de México

Virgilio Uribe

Nuestro territorio marítimo

56

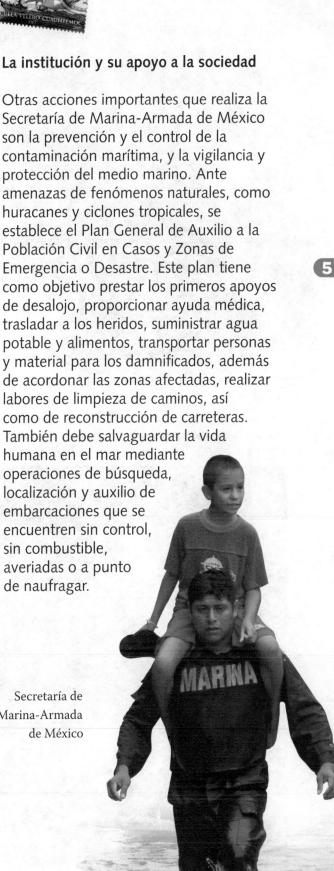

El cuidado de nuestro patrimonio territorial

En la actualidad, la Marina-Armada de México cuenta con bases en los diecisiete estados costeros y con personal naval de Infantería de Marina, de aviación naval y marinos de guerra que operan modernos buques, aviones, helicópteros y vehículos terrestres para realizar su labor de preservar la integridad del territorio nacional y garantizar el estado de derecho en el mar, salvaguardar la vida humana, proteger los recursos marítimos, fluviales y lacustres, así como realizar investigaciones científicas, oceanográficas, meteorológicas y biológicas en esa área. El sistema educativo naval ofrece formación integral a jóvenes (hombres y mujeres) en escuelas profesionales, como la Heroica Escuela Naval Militar, la Médico Naval, la de Enfermería y la de Ingenieros de la Armada; y a nivel técnico profesional, las de Mecánica de Aviación, Maquinaria Naval, Electrónica Naval e Intendencia Naval.

La institución y su apoyo a la sociedad

Otras acciones importantes que realiza la Secretaría de Marina-Armada de México son la prevención y el control de la contaminación marítima, y la vigilancia y protección del medio marino. Ante amenazas de fenómenos naturales, como huracanes y ciclones tropicales, se establece el Plan General de Auxilio a la Población Civil en Casos y Zonas de Emergencia o Desastre. Este plan tiene como objetivo prestar los primeros apoyos de desalojo, proporcionar ayuda médica, trasladar a los heridos, suministrar agua potable y alimentos, transportar personas y material para los damnificados, además de acordonar las zonas afectadas, realizar labores de limpieza de caminos, así como de reconstrucción de carreteras. También debe salvaguardar la vida humana en el mar mediante operaciones de búsqueda, localización y auxilio de embarcaciones que se encuentren sin control, sin combustible, averiadas o a punto de naufragar.

Secretaría de
Marina-Armada
de México

El gaviero

¡Qué gallardo, qué ligero,
qué velero
bergantín!
¡Causa envidia, según flota,
a gaviota
y a delfín!

¿Por qué mira con fijeza
y tristeza
la extensión,
desde el mástil, el gaviero,
compañero
del alción?

No recela del celaje,
todo encaje,
todo tul,
ni del golfo tan rendido,
tan dormido
y tan azul.

No se cura de su suerte;
vida o muerte
le es igual,
y desdeña en el esquife
arrecife
y temporal.

Es que allá por el poniente,
esplendente
de arrebol,
se ocultaron, se escondieron,
se perdieron
patria y sol;

y la noche, como un luto
absoluto,
viene al par,
con siniestra y honda calma,
sobre su alma
y sobre el mar.

Pero ¿qué se ha desprendido?
¿Qué ha caído
por babor?
¿Es un leño o un juanete
del trinquete,
del mayor?

¡Qué gallardo, qué ligero,
qué velero
bergantín!
¡Causa envidia, según flota,
a gaviota
y a delfín!

Salvador Díaz Mirón
La República literaria

Dibujo premiado en el concurso "El niño y la mar", al cual convoca la Secretaría de Marina-Armada de México año con año.

El agua dulce

El agua es el elemento más abundante de la Tierra; 97.5% es salada y se encuentra en los mares y los océanos, y sólo 2.5% es dulce. Esta última, en su mayoría, constituye glaciares y capas de hielo, principalmente en Groenlandia y la Antártica. También una porción importante se encuentra atrapada en depósitos subterráneos profundos de difícil acceso y sólo 0.3% de esta agua dulce se halla en lugares que podríamos llamar accesibles —como lagos y ríos— para ser utilizada por los seres vivos en sus distintas actividades. Como podrás ver, realmente no tenemos tanta agua útil como podríamos pensar.

Secretaría de Medio Ambiente y Recursos Naturales

La asamblea

¿Cómo tomar decisiones democráticamente? En asamblea, tus compañeros y tú, con la ayuda y la supervisión de su maestro, pueden tratar distintos temas de su interés para analizarlos y decidir qué hacer.

La asamblea es una conversación ordenada donde se exponen asuntos de interés general para un grupo o toda una escuela, se dan argumentos y toman decisiones en favor de los intereses del grupo, las cuales habrán de presentarse a las autoridades educativas.

En una asamblea:

- Todos pueden participar;
- se elige tema, lugar y fecha a partir de las necesidades del grupo, y esta información se da a conocer en una convocatoria;
- las personas se reúnen cada cierto tiempo, y también se puede convocar a reuniones extraordinarias;
- para ordenar la discusión se debe elegir un presidente, un escrutador y un secretario;
- se establece un tiempo para las participaciones;
- se hace una lista de expositores para que intervengan en orden;
- quienes hablan respetan su turno, y
- se establecen acuerdos y tareas.

Recuerda: en una asamblea deben estar todos los interesados, y se convoca para informar lo que se va a debatir mediante el "orden del día". Al participar se debe hablar con honestidad, veracidad y respeto.

Comprensión y reflexión crítica

Seguramente escuchas hablar a los adultos acerca de muchos asuntos que aún no comprendes, pero te gustaría estar informado para así preguntar, platicar y opinar. Por ejemplo, sobre el cambio climático o el cada vez más costoso consumo de energía eléctrica.

Para conocer y comprender un asunto es necesario informarse y reflexionar.

Por ello, conviene que te plantees algunas preguntas y busques las respuestas, por ejemplo: ¿uso adecuadamente la energía eléctrica?, ¿cuántas veces al día la uso?, ¿qué puedo hacer para emplearla menos y cuidar su consumo?

Estas preguntas te llevarán a otras, como ¿cuáles pueden ser las consecuencias del mal uso de la energía eléctrica en el ahorro de nuestra familia o de nuestra localidad?, o ¿qué relación existe entre el excesivo gasto de energía y el calentamiento global?, o más aún, ¿hay relación entre mi consumo de energía eléctrica, el calentamiento global y el cambio climático?

Aunque estas preguntas te parezcan difíciles, tienes acceso a información para contestarlas y entender que tus actos pueden acarrear consecuencias negativas o positivas para el ambiente y la sociedad.

Te darás cuenta de que puedes hacer algo para usar racionalmente la luz y prever las consecuencias de hacerlo así o no. Conocer los hechos y sus consecuencias te ayudará a plantear posibles cambios en tu conducta.

> **Recuerda:** comprender es pensar sobre un problema o asunto para descubrir cómo es, por qué ocurre, cuáles son sus consecuencias e imaginar posibles alternativas para así dar una mejor respuesta.

Para cuidar el ambiente... hoy me propongo ahorrar agua

Piensa cómo puedes ahorrar agua. Escribe tus propuestas.

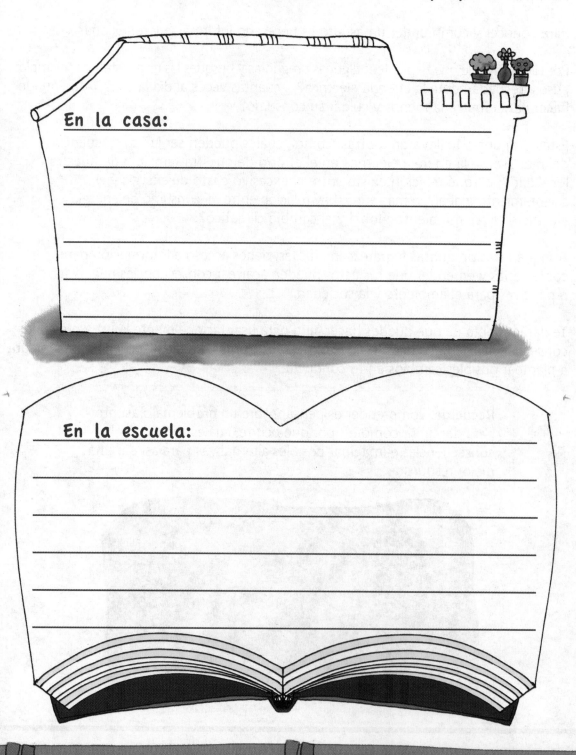

En la casa: _____

En la escuela: _____

En las siguientes imágenes se muestran algunas acciones para cuidar el agua. Coméntalas con tu familia y anota la manera en que se puede ahorrar agua en cada caso.

Actividad	Medidas de ahorro
	_____ _____ _____ _____
	_____ _____ _____
	_____ _____ _____
	_____ _____ _____

¿Cuál es tu fuente de información?

_____

_____

El patrimonio

Observa el esquema. Investiga acerca del patrimonio del lugar donde vives y, en tu cuaderno, haz un cuadro con la información que obtuviste. Puedes escribir, dibujar o usar recortes de revista.

Patrimonio

 Cultural

Natural

 Material

 **Inmaterial**
- Lenguas
- Costumbres
- Tradiciones
- Religiones
- Leyendas
- Mitos
- Música

- Reservas de la biosfera
- Monumentos naturales
- Reservas nacionales
- Parques nacionales

Mueble
- Manuscritos
- Documentos
- Artefactos históricos
- Colecciones científicas y naturales
- Grabaciones
- Películas
- Fotografías
- Obras de arte y artesanías

Inmueble
- Monumentos o sitios arqueológicos
- Monumentos o sitios históricos
- Conjuntos arquitectónicos
- Colecciones científicas
- Zonas típicas
- Monumentos públicos
- Monumentos artísticos
- Paisajes culturales
- Centros industriales y obras de ingeniería

Compara tus respuestas con las de tus compañeros y escribe algo que no conocías y que llamó tu atención.

Juntos o separados

Une con una línea las actividades que consideres apropiadas para niños, para niñas o para ambos.

Jugar futbol

Barrer la casa

Ir al cine

Lavar los trastes

Ir a la escuela

Jugar canicas

Jugar con muñecos

Estudiar matemáticas

Usar la computadora

¿Identificaste alguna que sea sólo para niñas o sólo para niños? Escribe cuál y por qué.

_____

Compara tus respuestas con las de tus compañeras y tus compañeros. Con la ayuda de tu maestra o maestro, analiza qué ideas sobre la participación de hombres y mujeres tienen en tu grupo. Anótalas.

_____

_____

Es importante que toda persona pueda realizar las actividades que le interesan sin que importe su sexo. ¿Sabes de alguna persona a la que se le haya impedido realizar alguna actividad por ser hombre o por ser mujer? _____

¿Piensas que es justo? _____ ¿Por qué? _____

_____

Una alumna nueva

Al grupo de 3º C llegó Tere, una alumna nueva. Ella viene de una comunidad donde se habla una lengua diferente a la que se habla en la escuela. Algunos compañeros se burlan, no le hablan y no quieren trabajar con ella.

¿Qué actitudes tienen esos compañeros?
Selecciona y marca las actitudes negativas.

- Compañerismo
- Egoísmo
- Rechazo
- Respeto
- Tolerancia
- Aceptación
- Discriminación
- Exclusión

¿Cómo te comportarías tú con Tere para darle trato justo?

En el salón	En el recreo	En el barrio

¿Qué te puede enseñar Tere que enriquezca tu persona?

_____

Reflexiona. ¿Qué puedes hacer para que las niñas y los niños de los siguientes ejemplos ejerzan su derecho a la educación en tu escuela?

Un niño ciego.
Una niña que no tiene dinero para todos sus útiles escolares.
Un niño al que le es difícil comprender las clases.
Una niña que no oye bien.
Un niño que usa silla de ruedas.

Autoevaluación

¿Cómo voy?

Escoge una respuesta y colorea la hoja.

Siempre **S**   Casi siempre **CS**   Casi nunca **CN**   Nunca **N**

En la escuela, con mis maestros y compañeros

Comprendo que el consumo excesivo de recursos, como el agua, la electricidad y los alimentos, provoca deterioro del ambiente.

S   **CS**   **CN**   **N**

Propongo y aplico medidas de participación conjunta para detener el deterioro del ambiente.

S   **CS**   **CN**   **N**

Reconozco y aprecio la diversidad cultural entre las personas.

S   **CS**   **CN**   **N**

Estoy en contra de que se dé trato injusto a niñas y niños con discapacidad.

S   **CS**   **CN**   **N**

Identifico las costumbres y tradiciones del lugar donde vivo y participo en sus celebraciones.

S   **CS**   **CN**   **N**

En mi casa, en la calle y en otros lugares

En mi casa o en mi vecindario me manifiesto en contra de las acciones que perjudican el ambiente.

S   **CS**   **CN**   **N**

Invito a mi familia a respetar a las personas, independientemente de su sexo, edad y apariencia.

S   **CS**   **CN**   **N**

Participo con entusiasmo en las fiestas tradicionales del lugar donde vivo.

S   **CS**   **CN**   **N**

Realizo acciones para proteger el ambiente, como no desperdiciar el agua y cuidar los árboles.

S   **CS**   **CN**   **N**

Evito comprar productos que no necesito y procuro aprovechar al máximo mis útiles escolares.

S   **CS**   **CN**   **N**

¿En qué puedo mejorar? _____

_____

_____

Leyes que regulan la convivencia y protegen nuestros derechos

Con el aprendizaje y la práctica podrás:

- Investigar el uso de normas y leyes en las relaciones entre los habitantes de tu localidad.
- Conocer los derechos de las niñas y los niños.
- Identificar algunas características de la democracia en la vida diaria.

Ana

69

Platiquemos

En una sociedad se establecen normas y leyes que ofrecen seguridad y facilidades para satisfacer los intereses y las necesidades de los individuos que la integran.

Las normas y las leyes influyen en las relaciones entre las personas, pues señalan lo que cada uno puede o no hacer, es decir, indican lo que está permitido o prohibido en un lugar determinado y las consecuencias de no cumplirlas.

Sin leyes es imposible que exista una convivencia respetuosa, pues su función es facilitar y normar los intercambios y las relaciones entre las personas y los grupos a los que pertenecen.

Por las normas y las leyes es posible que exista una convivencia respetuosa; que se determine el valor de las monedas y los billetes; que los distintos países reconozcan sus fronteras y que sus gobiernos velen por cumplir los derechos de nacionales y de extranjeros; que los padres sepan cuáles son sus obligaciones hacia los hijos; que las escuelas funcionen y pueda exigirse

Durante el Virreinato se desarrolló la minería.

70

a maestros y alumnos cumplir sus compromisos, y al gobierno desempeñar sus obligaciones, como educar, ofrecer servicios de salud y brindar seguridad a los ciudadanos, sobre lo cual deberán informar periódicamente para que podamos saber si cumplieron con sus responsabilidades. Así, las normas y las leyes dan orden a nuestra vida diaria.

A lo largo de su historia cada sociedad define acuerdos, normas y leyes para funcionar. Además, se ha ido formulando un conjunto de leyes para todos los países del mundo.

Los ordenamientos que regulan nuestra sociedad son también parte del patrimonio que nos da identidad y pertenencia. Al aceptarlos y cumplirlos, aceptamos pertenecer a la sociedad con la que nos identificamos y cuyas formas de convivencia ordenada compartimos.

Las normas y los ordenamientos están presentes en todos los aspectos de la vida. Las actividades que realizamos, como estudiar, jugar, pasear, ayudar en la casa o en el trabajo familiar, están normadas de alguna manera.

Real del Monte, Hidalgo

Nuestros derechos, así como las leyes que respetamos y cumplimos, fueron establecidos por nuestros antepasados, quienes trabajaron para darnos una vida mejor, más justa y más igualitaria que la suya. Entre estos derechos, los de los niños y las niñas tienen un lugar importante.

Las leyes son parte de nuestra herencia, del patrimonio que nos da sentido de identidad y pertenencia. Por ello, debemos entenderlas, respetarlas y, en su momento, mejorarlas para beneficio de las próximas generaciones. Revisa tus derechos e investiga cuáles son las instituciones dedicadas a velar por su cumplimiento.

Aunque los integrantes de la sociedad tengan un fuerte sentido de pertenencia a su país, sus intereses pueden ser diferentes, es decir, pueden tener distintos puntos de vista sobre, por ejemplo, las tradiciones o costumbres que deben permanecer o cambiar, o bien, diversos modos de vivir.

Las diferencias de necesidades, intereses o puntos de vista no tienen por qué impedir la vida en sociedad. Si se cumplen las normas y las leyes, será posible la convivencia respetuosa.

Este desarrollo generó riqueza pero también injusticias, como el trabajo infantil.

Los ciudadanos y las ciudadanas, sin importar su cargo ni su jerarquía social o económica, deben respetar las leyes, pues ante éstas todos somos iguales. Es tarea de la autoridad hacer que se cumplan.

En una sociedad democrática las personas consideran que es importante respetar las normas y las leyes.

Ese acuerdo no se logra por medio de la fuerza, sino del razonamiento colectivo, la discusión y el diálogo informado, buscando que se tomen en cuenta necesidades, intereses, costumbres y opiniones de todas las personas.

No siempre las normas y las leyes hacen coincidir los intereses colectivos con los personales; en esos casos, tenemos que resolver la diferencia de intereses, según lo indiquen las normas y las leyes, independientemente de las relaciones de convivencia establecidas con los demás.

Cañón de San Cayetano en mina de Guanajuato

Cáliz de plata

Los trabajadores mineros morían jóvenes por accidentes y enfermedades respiratorias.

Durante el Virreinato se extraía plata y con ella se acuñaban monedas y se elaboraban objetos lujosos.

Debemos confiar en las leyes, pues son hechas para que sean útiles y benéficas para todos, y de manera central para facilitar y promover la vida social respetuosa, pacífica, justa, libre e igualitaria. De no ser así, existen procedimientos que la propia ley señala para cambiarlas.

En las sociedades democráticas, a las autoridades las elige el pueblo y éstas tienen la función de cumplir y hacer cumplir la ley. La sociedad democrática se constituye por leyes que han sido acordadas por todos.

En la democracia nadie es dueño de la ley. La autoridad, como los demás, debe cumplirla y hacerla cumplir. Los ciudadanos se someten voluntariamente a la ley y son responsables de las consecuencias de su incumplimiento.

La diferencia fundamental entre las formas de gobierno autoritaria y democrática radica en el papel que tienen las autoridades para dictar, cumplir y hacer cumplir las leyes.

Mina y hacienda de beneficio, en Proaño, Zacatecas

En las formas de gobierno autoritarias los gobernantes dictan las normas y las leyes sin tomar en cuenta las necesidades, los intereses y las opiniones del resto de los integrantes de la sociedad, y sólo vigilan su cumplimiento sin importar si la ley es útil o no para mejorar la vida social y hacerla más justa e igualitaria.

En las formas de gobierno democráticas las autoridades cumplen y hacen cumplir las leyes discutidas y aprobadas por el pueblo mediante sus representantes, quienes están al servicio de la sociedad para facilitar y promover la vida social justa e igualitaria.

La democracia es una forma de gobierno y una forma de vida. En ésta cada persona se considera igual en dignidad y derechos, y apta para participar en las decisiones colectivas.

Más tarde, las injusticias cometidas en minas como Cananea y Río Blanco dieron inicio a la Revolución Mexicana.

El pajarero y la alondra

Un pajarero colocaba sus lazos y esparcía comida para las aves; parada sobre un árbol, una alondra lo veía, y se admiraba mucho de lo que hacía el pajarero, así que se le acercó y le preguntó: "¿Qué haces?" Él le respondió, le dijo que estaba fundando una ciudad, y dejando sus lazos ahí, se fue a esconder a otra parte. La alondra se dijo: "Vamos a ver cómo se construye una ciudad donde vive la gente". Y fue a volar derecho al lazo, y en cuanto hubo caído, se le acercó el pajarero y la agarró, y en el momento de tomarla, le dijo la alondra: "Si así es la ciudad que fundas, no verás pronto muchos ciudadanos".

Esta fábula nos enseña que no es posible vivir en una ciudad donde los gobernantes se burlan de la gente y la maltratan.

Fábulas de Esopo en idioma mexicano

El quetzal y el perico

Una vez se reunieron todos los pájaros de plumas multicolores para elegir a su rey; cuando ya estaban todos juntos pensando a quién pondrían, se levantó ante ellos el quetzal y reclamó el reino para sí; casi todos acogieron su petición de hacerlo el rey, cuando salió entre ellos el perico y los amonestó diciendo:

"Escuchad, señores nuestros, aves preciosas de Ipalnemohuani; si vosotros lo nombráis, el quetzal aquí presente será rey; pero si algún día el águila nos hiciera la guerra, ¿cuál es la fuerza de éste?, ¿acaso en verdad saldrá a su encuentro? Por eso, según yo veo las cosas, es necesario que pongamos por nuestro rey al águila."

Esta fábula nos enseña que al elegir a los gobernantes que han de tener a cargo la ciudad, no hay que ver su buena figura y apariencia, sino su valentía, prudencia e instrucción.

Fábulas de Esopo en idioma mexicano

¿Qué es la justicia?

Cuando las personas mayores hablan de justicia, se refieren al más valioso anhelo de la humanidad: la libertad, la paz, la igualdad y la verdad. La justicia es un valor, una convicción que nos ayuda a convivir como grupo en sociedad para ser más plenos y felices, para alcanzar nuestros sueños. En otras palabras, la justicia es el resultado del respeto que cada uno tenga para los demás y para sí mismo.

En el sistema de gobierno que tenemos en México la justicia se refiere a tres cosas:

1. Que cada persona tenga la seguridad y el respaldo de las leyes y de la autoridad para que sus sueños, creencias, éxitos, logros, pertenencias, su familia, su cuerpo y dignidad sean siempre respetados y protegidos.
2. Que se persiga y se castigue a cualquier persona o autoridad que desobedezca la Constitución Política o las leyes y afecte a cualquier otro en sus sueños, creencias, éxitos, logros, pertenencias, su familia, su cuerpo o dignidad.
3. Que todos esos castigos sean definidos por jueces imparciales y justos, quienes al juzgar y castigar a los delincuentes e infractores no pierdan de vista que también son humanos con derechos que deben respetarse.

La justicia es, entonces, una de las más importantes misiones que tiene todo gobierno.

Suprema Corte de Justicia de la Nación

Los derechos humanos de las niñas y los niños

Los derechos humanos son como un escudo que sirve para dos cosas: la primera, para exigir que todas tus necesidades se cubran y puedas crecer feliz y, la segunda, para protegerte de situaciones que pudieran causarte daño.

Todas y todos somos seres humanos y tenemos los mismos derechos, no importa el país en que vivimos; el color de piel; si tenemos alguna discapacidad; nuestros gustos; nuestra forma de vestir; si somos niñas o niños, mujeres u hombres.

Niñas y niños tienen derechos que requieren un tratamiento especial, como el derecho a la vida; a tener un nombre; a vivir en familia; a no sufrir discriminación; a que no les peguen, griten, toquen su cuerpo o los obliguen a trabajar; a la educación, a jugar y descansar; a tener las ideas y religión que prefieran; a expresar su opinión; a usar la computadora o cualquier medio de comunicación, y a que les orienten sobre su uso correcto, por mencionar algunos. Esos derechos están contenidos en la *Convención sobre los Derechos del Niño y en la Ley General de los Derechos de Niñas, Niños y Adolescentes*.

Por ello, todas las autoridades y personas en México, tienen obligación de respetar y hacer cumplir tus derechos.

Si sientes que alguien no respeta tus derechos, acude a la Comisión Nacional de los Derechos Humanos, teléfono 01800 008 6900 o asuntosdelafamilia@cndh.org.mx.

Comisión Nacional de los Derechos Humanos

La minería en México

México no sería lo que es sin su minería. Nuestra historia narra que desde la época prehispánica hay tareas de extracción y aprovechamiento, de construcción de pozos, de galerías, de herramientas, así como de tratamiento y preparación para el uso de los metales.

Fue durante el Virreinato cuando la minería tuvo su mayor impulso. La plata proveniente de las profundidades de las tierras mexicanas inundó el mundo entero, y se crearon nuevas formas de obtener sus beneficios. Alrededor de las minas surgieron pueblos, villas y formas de vida mineras. En los estados de Hidalgo, Oaxaca, Morelos, Zacatecas, Guanajuato, Coahuila, Chihuahua, entre otros, se tienen cantos y tradiciones que narran estas formas de vida, así como los esfuerzos y dificultades de quienes trabajan en esta actividad que tanta riqueza produce, todavía hoy, para el país.

Mina de plata, Fresnillo, Zacatecas

Minero mexicano de principios del siglo XX

El oficio de ingeniero geólogo

Así como la sociedad necesita de personas expertas en panadería, plomería, agricultura, secretariado, albañilería, medicina, leyes, etcétera, también requiere de expertos con conocimientos sobre la Tierra. El ingeniero geólogo trabaja con la Tierra, estudiando su origen, el lugar que ocupa en el universo como planeta, su constitución interna así como fenómenos relacionados con ésta, como el vulcanismo y los sismos; asimismo, estudia los procesos externos modeladores del paisaje. La aplicación de este saber permite descubrir minerales de rendimiento económico, encontrar materiales para la construcción de casas y edificios, localizar aguas subterráneas que puedan ser explotadas para consumo humano, descubrir petróleo y gas natural. Proporciona comprensión sobre el origen de los suelos y de los cambios climáticos tanto del pasado como del futuro. El ingeniero geólogo además puede participar como experto en los trabajos de ordenamiento del espacio urbano, por ejemplo, para no construir en zonas de riesgo.

¿Qué ocupación te gustaría tener cuando seas mayor?

José R. Ortega
Laboratorio de Geofísica,
Instituto Nacional de Antropología e Historia

Minería
Códice florentino, siglo XVI

Texto libre

Todos podemos ser escritores, ya que siempre tenemos algo que decir y contar. En la escuela puedes practicar una forma de escribir que se llama "texto libre".

Se llama así porque escribes lo que tú quieres decir, nadie te lo dicta ni lo copias de algún lado: es un texto únicamente tuyo. Y aunque es libre, tiene reglas, las indispensables para ser claro y correcto.

Tu texto puede ser muy breve. Una vez que esté terminado, debes revisarlo bien para evitar que lleve errores. Si lo requieres, solicita ayuda a tu maestro, ya que otras personas pueden ver los errores mejor que el propio autor. Cuando esté revisado y estés satisfecho, si deseas que alguien más lo conozca, muéstralo. No olvides que escribes para ser leído.

Si escribes de manera sistemática, si te esmeras por comunicar bien y claramente tus ideas y sentimientos, si aprendes y usas palabras nuevas y respetas las reglas de ortografía y gramática, te convertirás, con la práctica, en un buen escritor.

La creatividad te fortalece.

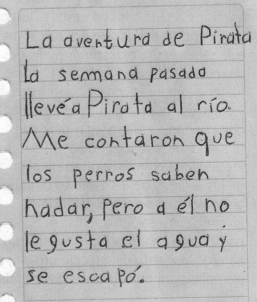

La aventura de Pirata
La semana pasada
llevé a Pirata al río.
Me contaron que
los perros saben
nadar, pero a él no
le gusta el agua y
se escapó.

80

Juicio ético

Mediante el razonamiento ético, y con base en sus valores, las personas juzgan y toman decisiones por sí mismas de acuerdo con lo que consideran adecuado o inadecuado, correcto o incorrecto, justo o injusto.

El desarrollo de tu juicio ético te faculta para reflexionar y juzgar aquellas circunstancias en que se presenten conflictos de valores, como podría haber, por ejemplo, entre los principios de justicia y solidaridad.

Para desarrollar tu razonamiento ético necesitas considerar ciertos principios básicos, como no dañar a los demás ni a ti mismo, respetar leyes y acuerdos previos, escuchar las razones de los demás. Estos principios son los valores que hemos ido construyendo como integrantes de una sociedad que quiere ser cada vez más democrática.

Analicemos un ejemplo:

El fin del año escolar se aproxima y quieres hacer un convivio con tus compañeros. Tendrán que decidir qué van a preparar y cómo van a arreglar el salón. Isabel dice que ella no tiene dinero para cooperar porque despidieron a su papá del trabajo. Un grupo de compañeros dice que es injusto que quien no pague disfrute de la fiesta, por lo que deciden que Isabel no vaya.

¿Qué opinas de la decisión de que Isabel no vaya a la fiesta?, ¿cuál es tu opinión?, ¿debe ir o no?, ¿por qué?

En este caso, además de tus sentimientos por Isabel y la solidaridad con sus problemas, tienes que valorar si la decisión de que asista a la fiesta es justa o injusta. Existe un conflicto de valores y se requiere darle solución razonando éticamente. ¿Cómo se puede dar trato justo a Isabel y a todo el grupo?

Y si no cumplimos las normas...

Haz una lista de tres normas que se sigan en tu casa, en tu escuela y en tu localidad, y anota las consecuencias que para ti y para otros traería el no cumplirlas.

Normas

_____

_____

_____

Consecuencias para ti   Consecuencias para otros

Normas

_____

_____

_____

Consecuencias para ti   Consecuencias para otros

Normas

_____

_____

_____

Consecuencias para ti	Consecuencias para otros
_____	_____
_____	_____
_____	_____

Comenta con tu grupo, ¿qué pasa cuando no se cumplen normas como las de tránsito?

_____

_____

_____

Completa las frases.

Las normas sirven para _____

_____

_____

Son importantes porque _____

_____

_____

Lee el texto "Los derechos humanos de las niñas y los niños en la vida diaria", en la página 77. Completa la tabla siguiente señalando las acciones que realiza tu familia y el gobierno para garantizar los derechos que ahí se muestran.

Derecho	¿Qué hace tu familia?	¿Qué hace el gobierno?
Educación		
Atención médica		
Recreación		
No ser maltratado		
No ser discriminado		

¿Tú qué harás para ayudar a que se cumplan estos derechos?

_____

_____

_____

84

Los gobernantes

Lee la fábula "El quetzal y el perico" en la página 76 y haz un dibujo en el que ilustres el momento en que se elige al gobernante.

¿Qué tomarías en cuenta para elegir al representante de tu grupo?

_____

_____

El gobernante de tu localidad

Con ayuda de tu familia investiga quién es el presidente municipal o delegado del lugar donde vives, y completa la siguiente información.

Vivo en el municipio o delegación política:

_____

En la entidad federativa:

_____

El nombre del presidente municipal o delegado político es:

_____

Sus obligaciones son:

_____

_____

El inicio y término de su gobierno: _____

_____

Pertenece al partido: _____

Durante su gobierno ha hecho:

_____

_____

Imagina que eres el presidente municipal o delegado del lugar donde vives. Escribe sobre las líneas ¿qué harías por los niños, las niñas y sus derechos?

Lee en la página 77 el texto "¿Qué es la justicia?" y escribe las ideas más importantes. Ilustra en el cuadro de abajo lo que hayas entendido. Puedes utilizar recortes y dibujos.

Ideas más importantes:

_____

_____

_____

_____

_____

_____

Autoevaluación

¿Cómo voy?

Escoge una respuesta y colorea la hoja.

Siempre **S** Casi siempre **CS** Casi nunca **CN** Nunca **N**

En la escuela, con mis maestros y compañeros

Identifico las consecuencias que tiene para mi grupo que yo no cumpla las normas del salón.

S **CS** **CN** **N**

Identifico algunas maneras de proponer cambios a normas del grupo.

S **CS** **CN** **N**

Expongo mis ideas en la asamblea y escucho a los demás.

S **CS** **CN** **N**

Cumplo los acuerdos tomados democráticamente en mi grupo.

S **CS** **CN** **N**

Conozco mis derechos y sé cómo contribuyen otras personas para que se cumplan.

S **CS** **CN** **N**

En mi casa, en la calle y en otros lugares

Reconozco las diferencias entre las normas que se aplican en mi casa, en la escuela y en mi localidad.

S **CS** **CN** **N**

Participo en las decisiones familiares, exponiendo mis intereses y deseos.

S **CS** **CN** **N**

Comprendo que no cumplir las normas afecta a mi familia y a mi propia persona.

S **CS** **CN** **N**

Identifico y nombro circunstancias en que los integrantes de mi localidad pueden ser obligados por la autoridad a cumplir las leyes.

S **CS** **CN** **N**

Llevo a cabo acciones para ejercer mis derechos en mi casa y en mi localidad.

S **CS** **CN** **N**

¿En qué puedo mejorar? _____

_____

_____

Aprendamos a organizarnos y a resolver conflictos

Con el aprendizaje y la práctica podrás:

- Dar solución a desacuerdos por diferencias de interés y puntos de vista mediante la conciliación y el diálogo.
- Participar de distintas maneras en asuntos que convienen a la colectividad.

Platiquemos

El pueblo de México ama la paz. Para mantenerla, cada integrante de la sociedad necesita aprender a ponerse de acuerdo con los demás y a colaborar con otros en las tareas cotidianas que hacen posible la vida social. Tú puedes actuar de tal manera que procures la paz.

En las acciones diarias realizas actos y tomas decisiones que pueden afectar a otras personas. Ellas pueden tener ideas o gustos parecidos a los tuyos o estar inconformes o molestas contigo. Si platican y escuchan cada uno las razones o quejas de los otros, se podrán poner de acuerdo.

Por ejemplo, puede ser que te gusta compartir lo que tienes con tus compañeros, pero tal vez te moleste que alguien use tus cosas sin pedírtelas o que no las ponga en su lugar después de usarlas. Esto podría hacerte enojar. Pero si platicas con esa persona y le explicas que estás

Plaza de las Tres Culturas de Tlatelolco

La educación en el Virreinato era diferente para cada uno de los grupos de población que convivían en Nueva España.

dispuesto a prestar lo tuyo, pero que te gustaría que lo cuidara, no habrá desavenencias entre ustedes.

No es lo mismo un desacuerdo o contrariedad que un conflicto. Se llama *conflicto* a la diferencia de intereses entre personas, a una pugna o pelea. Los desacuerdos y las desavenencias, si se atienden a tiempo, no tienen por qué convertirse en conflictos.

Cuando un conflicto se desarrolla, ya sea por intereses opuestos o por no respetar a las personas y sus derechos, se puede recurrir a alguien que sea imparcial; es decir, que no tenga preferencia por ninguna de las partes en conflicto y que ayude a conciliarlas. Esta mediación consistirá en lograr que las partes se expresen, se escuchen y tengan como objetivo común encontrar una solución justa a sus diferencias.

Fundado en 1588, el Colegio de San Ildefonso fue una de las instituciones educativas más importantes de Nueva España.

93

Para responder a las contrariedades que encuentres en tu escuela o en tu casa, exprésalas; también reflexiona sobre las causas de lo que te aflige. Tal vez las personas que te rodean no se dan cuenta de que algo que hacen o dicen te molesta o hiere, o que va en contra de tus derechos. Expresa tus sentimientos con claridad, sin ofender, pero con seguridad.

La posibilidad de dar solución a desavenencias mediante el diálogo depende no sólo de que sepas expresar lo que quieres y lo que sientes, y que conozcas tus derechos, sino también de que escuches a los demás y estés con disposición a dar trato justo e igualitario a todas las personas.

Las desavenencias y los desacuerdos surgen de manera natural en la vida diaria y en la participación social. Cada persona tiene necesidades y gustos propios, pero depende de otros en muchos aspectos de su vida. Por eso

El Colegio de Santa Cruz de Tlatelolco, primera institución educativa de América, fue fundado en 1536 para indios principales.

es necesario que sepa ponerse de acuerdo con quienes la rodean y actúe conforme a las normas sociales.

Cuando no se respetan los derechos de las personas, se les niega trato justo, o no se les escucha, se pone en riesgo la convivencia pacífica. Las respuestas violentas como una manifestación de su enojo no ayudan a dar solución a lo que está desuniendo y contraponiendo a las personas. La violencia es destructiva.

Los golpes y los insultos son violencia, y es necesario evitarlos. Sin renunciar a los derechos y los intereses que tenga cada uno, es imprescindible no maltratar. Hay muchas formas de maltrato, entre las que están la discriminación y la burla. También ignorar a las personas y no darles un trato respetuoso son formas de tratarlas mal.

En 1573 se fundó el Colegio Mayor de Santa María de Todos los Santos para criollos.

El Colegio para Niñas y Mujeres de San Ignacio, o de las Vizcaínas, educaba a hijos de españoles. Fue fundado en 1732.

95

A veces se necesita la ayuda de otras personas. Identifica a alguien que te escuche, te guíe y, en caso necesario, ponga remedio a los abusos que cometan contra ti otros niños o adultos. Esa persona de confianza también te puede ayudar a estudiar tu conducta para ver qué puedes mejorar en tu trato con los demás. En tu entorno hay quienes pueden orientarte.

En las sociedades democráticas todos tienen derecho a una vida digna, y esto implica respetarlos y reconocer sus derechos. También implica solidaridad; es decir, que cada uno esté dispuesto a ofrecer su esfuerzo en tareas colectivas y a brindar apoyo a quien lo requiera.

Tú ahora estás en la infancia, y no debes trabajar, pero sí puedes colaborar en tareas de tu casa, escuela y comunidad que no pongan en riesgo tu

La Real Academia de San Carlos de las Nobles Artes se fundó en 1783. Ahí estudiaban artes plásticas los criollos.

desarrollo o tu derecho a la educación. También colaboras con la sociedad, con el país y con el mundo entero si ahorras energía, cuidas el ambiente y contribuyes a crear un entorno de respeto y democracia en los grupos en los que participas.

Una de las riquezas de la vida en una sociedad democrática es que personas muy diferentes entre sí pueden vivir, trabajar y desarrollarse en paz. Para ello se requieren valores comunes, es decir, acuerdos básicos de toda la sociedad sobre la importancia del respeto, la libertad, la justicia y la tolerancia para alcanzar y mantener esa paz.

Tú, desde ahora, puedes conocer y practicar esos valores, y participar en la construcción de una vida social cada vez más democrática en nuestro país.

En el Palacio de Minería estudiaban los ingenieros

Juan Rodríguez Puebla fue alumno y rector del Colegio de San Gregorio, fundado para educar a jóvenes indígenas. Después de la Independencia él trasformó esta escuela en una de las mejores del país, y abrió sus puertas a todos sin distinción de razas.

Lectura y democracia

El escritor Ray Bradbury, autor de la novela de ciencia ficción *Fahrenheit 451*, muestra en esta obra una sociedad donde se impide leer, porque está prohibido pensar. La poesía, por ejemplo, está prohibida porque mueve los sentimientos y puede poner triste a la gente, y es una obligación ser felices. Así, hay familias que son consideradas antisociales porque leen, y por tanto hacen preguntas. Leer hace diferentes a los seres humanos, y esto puede provocar que se pregunten acerca de lo que los rodea, de su vida, su sociedad, sus relaciones, su trabajo, en fin, su existencia.

En algunos países que han caído en fanatismos, muchos libros han sido quemados y sus autores perseguidos, igual que sus lectores. En la época de la Inquisición estaba prohibido leer algo distinto de lo que los inquisidores consideraban adecuado.

Entonces, ¿qué tienen los libros, que son atacados de esta manera? Los libros contienen el conocimiento y la imaginación de un autor, y producen también el encuentro con otros mundos, otras maneras de pensar y de ver las cosas, y nos permiten reconocer la existencia de los demás. Quien lee tiene la posibilidad de reflexionar, comprender el mundo que lo rodea y entenderse como persona.

Sin educación no hay democracia. Además de provocar emociones, gozo y disfrute, los libros apoyan la educación. La historia se conoce a través de los libros, de la lectura. Así podemos entender de dónde venimos, cómo era la vida hace mil años y muchas cosas más. A través de la lectura podemos saber que la lucha por la democracia ha sido difícil, que ha habido guerras, ganadores y perdedores, pero que siempre la imaginación, la reflexión, esa que la lectura nos ayuda a desarrollar, estará presente y nos acompañará por siempre.

Carlos Noriega
Comisión de Educación
Confederación Nacional de Cámaras Industriales

Sobre la tolerancia

La tolerancia no significa guardar silencio o mostrar indiferencia cuando alguien alrededor nuestro dice algo que nos parece equivocado. Es, por el contrario, la capacidad de dialogar con esa persona. Voltaire, el gran filósofo francés, decía: "Puedo estar en contra de lo que dices, pero defendería con la vida tu derecho a decirlo". Lo que subyace en esta frase es la convicción, el deseo de construir una sociedad fundada en la tolerancia, en la que todos podamos convivir, respetando nuestras diferencias.

Isidro H. Cisneros

Oficios de protección civil

¿Sabes cuántas personas trabajan para cuidar la vida, la salud, la integridad física o el patrimonio de todos los mexicanos? Esta labor la realiza un equipo solidario de mujeres y hombres con vocación de servicio, que se dedican a la investigación, a la medicina o se integran como voluntarios. También está el personal especializado, como las fuerzas armadas, bomberos, paramédicos, rescatistas y policías, entre otros.

Secretaría de Gobernación
Dirección General de Protección Civil

Periódico mural

Un periódico mural es la exposición pública de escritos, dibujos, caricaturas, biografías y opiniones acerca de un tema que puede ser colocado en una pared o muro.

El periódico mural es un proyecto colectivo en el que se presenta, mediante diferentes formas de expresión, un tema que se haya investigado. Es muy útil para dar a conocer hechos y acontecimientos, por ejemplo las enfermedades infecciosas o las situaciones de riesgo, así como para promover la reflexión y la comunicación.

Un periódico mural tiene periodicidad, es decir, se elabora cada cierto tiempo, ya sea semanalmente o cada quince días, y aparecen en él textos individuales y otros cuyo autor es el grupo.

Para hacer un periódico mural, tu maestra o maestro orientarán al grupo para:

- Acordar conjuntamente las secciones que presentará: histórica, social, política, ecológica, cómica y editorial.
- Revisar si en el fichero del grupo se tiene información que pueda ser útil.
- Elaborar carteles con información que explique brevemente el tema.
- Recopilar o elaborar las imágenes que mejor lo ilustren.
- Escribir un texto editorial en el que se exprese la opinión del grupo respecto del tema.

Participación y cooperación

Muchas de nuestras actividades las hacemos con otros, por lo cual es necesario aprender a participar y a cooperar. En la escuela, la casa y la comunidad tu participación y la de los demás es muy importante, pues ellos te ayudan a desarrollar tu espíritu de servicio, que es el ánimo de ser útil, de ponerse al servicio de una tarea para lograr un fin común. Siempre es agradable trabajar en equipo y dar lo mejor de nosotros.

Si quieres participar y colaborar con otros en una tarea colectiva:

1. Infórmate bien de qué se trata.
2. Valora si la tarea te interesa o no, y si entiendes las razones por las que tu participación y colaboración pueden ser útiles.
3. Asume una de las tareas, tomando en cuenta que en la labor colectiva dependemos unos de otros, por lo que es indispensable cumplir acuerdos y compromisos.
4. Expresa con claridad aquello con lo que estás o no de acuerdo y da tus motivos.
5. Disfruta del trabajo colectivo y del hecho de ser capaz de ponerte de acuerdo con otros para alcanzar un objetivo común.
6. Mientras más estudies, más podrás ayudar a quien lo requiera.

Participo en la preparación de un convivio

Contesta las siguientes preguntas.

¿Qué te gusta hacer durante el recreo?

1. _____

2. _____

¿Cuáles son tus cuentos favoritos?

1. _____

2. _____

¿Qué deportes y juegos te gustan?

1. _____

2. _____

¿Cuál es la comida que más te gusta?

1. _____

2. _____

¿Qué golosinas prefieres?

1. _____

2. _____

Compara tus respuestas con las de tus compañeros.

Supongan que van a preparar un convivio del grupo.
A partir de las respuestas que anotó cada uno, establezcan acuerdos respecto a:

- La comida que prepararán.
- Los juegos que organizarán durante el recreo.

¿En qué coincidieron?

_____

_____

¿Cómo se pusieron de acuerdo?

_____

_____

¿Cómo conciliaron las diferencias?

_____

_____

Elige algún desacuerdo que se presente con frecuencia en tu salón de clases y piensa en posibles soluciones. Coméntalas con tu grupo.

Desacuerdo

_____

¿Quiénes intervienen?

_____

_____

¿Cómo lo solucionaron?

_____

_____

Busca fotos de tu familia o imágenes de revistas donde identifiques o reconozcas las actitudes que son necesarias para evitar que los desacuerdos se conviertan en conflictos y arma un *collage* con ellas. Guíate con las palabras de abajo.

armonía   solucionar   paz

conflicto   respeto   participación

escuchar   desacuerdo

diálogo   tolerancia   concordia

Escribe un texto breve donde utilices estas palabras.

_____

_____

_____

_____

Observa el principio de esta historia. Imagina y dibuja cómo se desarrolló y cuál fue el final.

Nos vemos en mi casa para hacer la máscara.

No, tu casa no me gusta. Mejor la mía.

No discutan. Vamos a mi casa.

Proceso

Desenlace

Si en tu historia llegaron a un acuerdo justo, ¿cómo lograron que se tomara una decisión sin pelear?

_____

_____

Elige los valores que fueron importantes para tomar el acuerdo y discute con tus compañeros acerca de tu elección.

☐ Respeto

☐ Tolerancia

☐ Libertad

☐ Igualdad

☐ Justicia

Si en el final de tu historia se llegó a un conflicto, ¿por qué razón ocurrió?

_____
_____
_____
_____
_____

A los niños que no se pudieron poner de acuerdo, ¿qué les recomendarías? Escríbelo aquí:

_____
_____
_____
_____
_____

Autoevaluación

¿Cómo voy?

Escoge una respuesta y colorea la hoja.

Siempre **S** Casi siempre **CS** Casi nunca **CN** Nunca **N**

En la escuela, con mis maestros y compañeros

Utilizo el diálogo para establecer acuerdos con compañeros que tienen intereses diferentes o contrarios a los míos.

S **CS** **CN** **N**

Ayudo a que mis compañeros solucionen mediante el diálogo las desavenencias que surgen entre ellos.

S **CS** **CN** **N**

Propongo soluciones justas a los desacuerdos de mis compañeros y compañeras.

S **CS** **CN** **N**

Reconozco los motivos que dan origen a los problemas más comunes de mi grupo.

S   **CS** **CN** **N**

Valoro las propuestas de otras personas cuando estamos participando en algún trabajo o celebración.

S **CS** **CN** **N**

En mi casa, en la calle y en otros lugares

Procuro dar solución a las desavenencias con mis familiares y amigos utilizando el diálogo y evitando la violencia.

S **CS** **CN** **N**

Colaboro con propuestas para dar respuesta a necesidades de mi familia y considero todas las ideas que se expresan.

S **CS** **CN** **N**

Solicito ayuda, si la necesito, para dar solución a desacuerdos que surgen en mi familia.

S **CS** **CN** **N**

Puedo expresar lo que pienso sin ofender a las personas que piensan de manera distinta.

S **CS** **CN** **N**

Propongo solución a las desavenencias con mi familia platicando y argumentando mi punto de vista.

S **CS** **CN** **N**

107

¿En qué puedo mejorar? _____

_____

_____

Himno Nacional Mexicano

CORO
Mexicanos, al grito de guerra
el acero aprestad y el bridón,
y retiemble en sus centros la tierra
al sonoro rugir del cañón.

I
Ciña, ¡oh patria!, tus sienes de oliva
de la paz el arcángel divino,
que en el cielo tu eterno destino
por el dedo de Dios se escribió.

Mas si osare un extraño enemigo
profanar con su planta tu suelo,
piensa, ¡oh patria querida!, que el cielo
un soldado en cada hijo te dio.

[CORO]

II
¡Guerra, guerra sin tregua al que intente
de la patria manchar los blasones!
¡Guerra, guerra! Los patrios pendones
en las olas de sangre empapad.

¡Guerra, guerra! En el monte, en el valle
los cañones horrísonos truenen,
y los ecos sonoros resuenen
con las voces de ¡Unión! ¡Libertad!

[CORO]

III
Antes, patria, que inermes tus hijos
bajo el yugo su cuello dobleguen,
tus campiñas con sangre se rieguen,
sobre sangre se estampe su pie.

Y tus templos, palacios y torres
se derrumben con hórrido estruendo,
y sus ruinas existan diciendo:
de mil héroes la patria aquí fue.

[CORO]

IV
¡Patria! ¡Patria! Tus hijos te juran
exhalar en tus aras su aliento,
si el clarín con su bélico acento
los convoca a lidiar con valor.

¡Para ti las guirnaldas de oliva!
¡Un recuerdo para ellos de gloria!
¡Un laurel para ti de victoria!
¡Un sepulcro para ellos de honor!

[CORO]
Mexicanos, al grito de guerra
el acero aprestad y el bridón,
y retiemble en sus centros la tierra
al sonoro rugir del cañón

Letra: **Francisco González Bocanegra**
Música: **Jaime Nunó**

Créditos iconográficos

P. 10: escalera del Hospital de Jesús, fotografía de José Guadalupe; **p. 11**: patio interior del Hospital de Jesús, fotografía de José Guadalupe; **p. 12**: fachada del Museo Franz Mayer (antes Hospital de San Juan de Dios), fotografía de Rita Robles Valencia/Archivo iconográfico DGME-SEB-SEP; **p. 13**: antiguo Hospital de San Juan de Dios; **p. 14**: (izq.) Hospital de Terceros, Instituto de Investigaciones Estéticas, UNAM; (der.) *Exvoto a la Virgen de los Dolores y San Sebastián*, 1761, autor desconocido, Cholula, Puebla de los Ángeles, Nueva España, óleo sobre tela, Colección Museo Franz Mayer; **p. 15**: (izq.) "Iglesia de San Hipólito", en Manuel Rivera Cambas (1840-1917), *México pintoresco artístico y monumental: vistas, descripción, anécdotas y episodios de los lugares más notables de la capital y de los estados, aun de las poblaciones cortas, pero de importancia geográfica o histórica. Las descripciones contienen datos científicos, históricos y estadísticos*, México, Imprenta de la Reforma, 1880-1883; (der.) fachada del templo de San Hipólito, fotografía de Rita Robles Valencia/Archivo iconográfico DGME-SEB-SEP; **p. 16**: (izq.) niño con aparato de optometría, fotografía de Martín Córdova Salinas/Archivo iconográfico DGME-SEB-SEP; (der.) niño comiendo, San Miguel Tzinacapan, Cuetzalan del Progreso, Puebla, 1979, D. R. © Sergio Abbud/Fototeca Nacho López/Comisión Nacional para el Desarrollo de los Pueblos Indígenas; **p. 17**: (izq.) niño lavándose las manos, © Michelle Del Guercio/Getty Images; (centro) campaña de vacunación, Secretaría de Salud; (der.) epidemia de gripe, © Alonso Crespo/Jam Media/LatinContent Editorial/Getty Images; **p. 18**: "El chivo y el coyote", Artemio Rodríguez (1972), en *Fábulas de Esopo*, UNAM/BNM/DGPU; **p. 19**: (arr.) "El coyote y el puma", Artemio Rodríguez (1972), en *Fábulas de Esopo*, UNAM/BNM/DGPU; (ab.) "La rana", Artemio Rodríguez (1972), en *Fábulas de Esopo*, UNAM/BNM/DGPU; **p. 20**: (arr.) Escuela Primaria Luis de la Brena en San Miguel Xicalco, Tlalpan, Ciudad de México, fotografía de Paola Stephens Díaz/Archivo iconográfico DGME-SEB-SEP; (centro) fotografía de Heriberto Rodríguez, Coordinación General de Educación Intercultural y Bilingüe; (ab.) niños de la Escuela Primaria Rafael Ramírez, Ayotzinapa, Puebla, fotografía de Heriberto Rodríguez/SEP-Coordinación General de Educación Intercultural y Bilingüe; **p. 25**: revisión médica, fotografía de Jordi Farré/Archivo iconográfico DGME-SEB-SEP; **p. 30**: acueducto de Querétaro, Querétaro, Archivo iconográfico DGME-SEB-SEP; **p. 31**: acueducto de los Remedios, © George Rinhart/Corbis/Getty Images; **p. 32**: (izq.) "Acueducto de Morelia, Michoacán. Entrada al paseo de San Pedro", en Manuel Rivera Cambas (1840-1917), *México pintoresco artístico y monumental: vistas, descripción, anécdotas y episodios de los lugares más notables de la capital y de los estados, aun de las poblaciones cortas, pero de importancia geográfica o histórica. Las descripciones contienen datos científicos, históricos y estadísticos*, México, Imprenta de la Reforma, 1880-1883; (der.) *Zacatecas, 1840*, Daniel Thomas Egerton (1797-1842), 60 x 41.5 cm, litografía policroma, iluminada, *Vistas de México*, lámina 2, Centro de Estudios de Historia de México Carso; **p. 33**: (izq.) acueducto de Rincón de Romos, Aguascalientes fotografía de Juan Gerardo Ruiz Hellion/Archivo iconográfico DGME-SEB-SEP; (der.) acueducto de Querétaro, Querétaro, fotografía de Fernando Aguilar; **p. 34**: (arr.) *Biombo: Alegoría de la Nueva España* (detalle), siglo XVIII, anónimo, óleo sobre tela, 175 x 540 cm, Colección Banco Nacional de México; (izq.) fuente del Salto del Agua, lámina 1, litografía en sepia y negro iluminada, 33.2 x 23 cm, en Casimiro Castro (1826-1889), *México y sus alrededores: Colección de vistas, trajes y monumentos*, México, Litografía de Decaen, 1855-1856; (der.) *Paseo de la Viga* (detalle), siglo XVIII, anónimo, biombo, óleo sobre tela, 254 x 280 cm, Colección particular; **p. 35**: *Guadalaxara, 1840*, Daniel Thomas Egerton (1797-1842), 59.5 x 42.5 cm, litografía policroma, iluminada, *Vistas de México*, lámina 9, Centro de Estudios de Historia de México Carso; **p. 36**: (arr.) "El labriego y sus hijos", Artemio Rodríguez (1972), en *Fábulas de Esopo*, UNAM/BNM/DGPU; (ab.) "La hormiga y la paloma", Artemio Rodríguez (1972), en *Fábulas de Esopo*, UNAM/BNM/DGPU; **p. 37**: (izq.) laboratorista, Archivo iconográfico DGME-SEB-SEP; (arr. der.) fotografía de Rita Robles Valencia/Archivo iconográfico DGME-SEB-SEP; (ab. der.) fotografía de Baruch Loredo Santos/Archivo iconográfico DGME-SEB-SEP; **p. 38**: texto y firma de José Luis Cuevas, Museo José Luis Cuevas; **p. 39**: (arr.) *Jugando canicas, José Luis y Beatriz del Carmen*, s/f, José Luis Cuevas (1934), lápices de colores sobre papel, 37 × 30.5 cm, Museo José Luis Cuevas; (ab.) *Yo de niño jugando yo-yo*, 2008, José Luis Cuevas (1934), lápiz y pastel sobre papel, 34.5 × 28.5 cm, Museo José Luis Cuevas; **p. 50**: (izq.) pitahaya, fotografía de la Secretaría de Agricultura, Ganadería, Desarrollo Rural, Pesca y Alimentación; (der.) piña, fotografía de la Secretaría de Agricultura, Ganadería, Desarrollo Rural, Pesca y Alimentación; **p. 51**: nopales, fotografía de la Secretaría de Agricultura, Ganadería, Desarrollo Rural, Pesca y Alimentación; **p. 52**: (izq.) maíz, Archivo iconográfico DGME-SEB-SEP; (der.) mamey, Archivo iconográfico DGME-SEB-SEP; **p. 53**: (izq.) chile, Archivo iconográfico DGME-SEB-SEP; (der.) jitomate, Archivo iconográfico DGME-SEB-SEP; **p. 54**: (izq.) cacao, fotografía de Bob Schalkwijk/Archivo iconográfico DGME-SEB-SEP; (der.) aguacate, Archivo iconográfico DGME-SEB-SEP; **p. 55**: (izq.) frijoles, Archivo iconográfico DGME-SEB-SEP; (der.) guayabas, Archivo iconográfico DGME-SEB-SEP; **pp. 56-58**: fotografías de la Secretaría de Marina-Armada de México; **p. 59**: (arr.) la Tierra vista desde el espacio, NASA; (centro) lagunas de Montebello, Chiapas, fotografía de Paola Stephens/Díaz, Archivo iconográfico DGME-SEB-SEP; (ab.) cascadas, San Luis Potosí, fotografías de Salatiel Barragán Santos; **p. 60**: Encuentro Intercultural Infantil, Pátzcuaro, Michoacán, 8 de junio de 2006, fotografía de Heriberto Rodríguez/SEP-Coordinación General de

Educación Intercultural y Bilingüe; **p. 64**: (centro) niño rarámuri, fotografías de Raúl Barajas/Archivo iconográfico DGME-SEB-SEP; *Códice Florentino*, libro II, f. 135r, Biblioteca Nacional de Antropología e Historia;* (ab. izq.) alebrije, fotografía de Juan Antonio García Trejo/Archivo iconográfico DGME-SEB-SEP; imprenta Juan Pablos, siglo XVI, Museo Nacional de las Artes Gráficas, Colección Birlain, fotografía de Heriberto Rodríguez/Archivo iconográfico DGME-SEB-SEP; *Arte de Lengua Mexicana*, 1673, fotografía de Jordi Farré/Archivo iconográfico DGME-SEB-SEP; (centro ab.) plataforma petrolera; interior del Antiguo Colegio de San Ildefonso, fotografías de Baruch Loredo Santos/Archivo iconográfico DGME-SEB-SEP, UNAM/DGPU; atlantes, Tula, Hidalgo, fotografía de Guillermo A. Tapia García;* (der. centro) área natural protegida de flora y fauna, "Laguna de Términos" de la Comisión Nacional de Áreas Naturales Protegidas, órgano público desconcentrado de la Secretaría de Medio Ambiente y Recursos Naturales; playa de Huatulco, fotografía de Paola Stephens Díaz/Archivo iconográfico DGME-SEB-SEP; **p. 70**: bocamina de la Valenciana, Guanajuato, fotografía de Fernando Robles; **p. 71**: Real del Monte, Hidalgo, Archivo iconográfico DGME-SEB-SEP; **p. 72**: (izq.) murales del Palacio de Gobierno de Aguascalientes (fragmento), Oswaldo Barra Cunningham (1922-1999), Archivo iconográfico DGME-SEB-SEP; (centro) moneda conmemorativa de la Batalla del Monte de las Cruces, Veracruz, 1810; (der.) Fuente, *ca.* 1770-1778, autor desconocido, plata fundida, forjada, cincelada, repujada y picada de lustre, Nueva España, fotografías de Baruch Loredo Santos/Archivo iconográfico DGME-SEB-SEP, Colección Museo Franz Mayer; **p. 73**: (izq.) *Cañón de San Cayetano. Mina de Rayas*, Guanajuato, 1840, Daniel Thomas Egerton (1797-1842), 60 x 42 cm, litografía policroma, iluminada, *Vistas de México*, lámina 5, Centro de Estudios de Historia de México Carso; (der.) cáliz de plata, siglo XVII, Museo Nacional del Virreinato, fotografía de Baruch Loredo Santos/Archivo iconográfico DGME-SEB-SEP;* **p. 74**: hostiario, principios del siglo XVII, autor desconocido, Nueva España, plata fundida, forjada y cincelada, Colección Museo Franz Mayer; **pp. 74-75**: Hacienda de Beneficio, mina de Proaño, Zacatecas, Museo Nacional de Historia;* **p. 76**: (arr.) "El pajarero y la alondra", Artemio Rodríguez (1972), en *Fábulas de Esopo*, UNAM/BNM/DGPU; (ab.) "El quetzal y el perico", Artemio Rodríguez (1972), en *Fábulas de Esopo*, UNAM/BNM/DGPU; **p. 77**: ilustración, Alain Espinosa/Archivo iconográfico DGME-SEB-SEP; **p. 78**: (izq.) mineros, fotografía de David Maawad, Artes de México y del Mundo; (der.) mina de plata, Fresnillo, Zacatecas, © Susana González/Bloomberg/Getty Images; **p. 79**: (arr.) *Códice Florentino*, libro IX, f. 51r; (centro y ab.) *Códice Florentino*, libro IX, f. 51v, Biblioteca Nacional de Antropología e Historia;* **p. 80**: niños de la Escuela Primaria Rafael Ramírez en la comunidad de Ayotzinapan, Puebla, fotografía de Heriberto Rodríguez/SEP-Coordinación General de Educación Intercultural y Bilingüe; **p. 85**: "El quetzal y el perico", Artemio Rodríguez (1972), en *Fábulas de Esopo*, UNAM/BNM/DGPU; **p. 92**: Plaza de las Tres Culturas, Tlatelolco, fotografía de Baruch Loredo Santos/Archivo iconográfico DGME-SEB-SEP;* **p. 93**: (arr.) patio principal del Antiguo Colegio de San Ildefonso; (ab.) fachada del Antiguo Colegio de San Ildefonso, fotografías de Raúl Barajas/Archivo iconográfico DGME-SEB-SEP; **p. 94**: (izq.) *Vocabulario manual de las lenguas castellana y mexicana en que se contienen las palabras, preguntas y respuestas más comunes y ordinarias que suelen ofrecer en el trato y comunicación entre españoles e indios*, ca. 1611, Pedro Arenas, México, colección particular; (der.) patio del Colegio de la Santa Cruz de Tlatelolco; **p. 95**: (arr.) *Arte de la lengua mexicana con la declaración de los adverbios della*, 1645, Horacio Carochi, colección particular; (ab. izq.) *Colegio Mayor de Santa María de Todos los Santos*, 1883, litografía, Museo Nacional de Historia;* (ab. der.) *El patio de las Vizcaínas*, 1874, Agustín Ylizalaturri, óleo sobre tela, 77 x 101 cm, Colección Banco Nacional de México; **p. 96**: (izq.) *Arte de la lengua mexicana*, 1547, Andrés de Olmos; (der.) esculturas en el patio de la Academia de San Carlos, *ca.* 1920, © 122189, Secretaría de Cultura.INAH.Sinafo.FN.México; **p. 97**: (arr.) maqueta de imprenta Juan Pablos, colección Valentina Cantón; (ab. izq.) "Colegio de Minería", en Casimiro Castro (1826-1889), *México y sus alrededores: Colección de vistas, trajes y monumentos*, México, Litografía de Decaen, 1855-1856; (ab. der.) Juan Rodríguez Puebla, colección José Guadalupe Martínez; **p. 98**: (izq.) fotografía de Jordi Farré/Archivo iconográfico DGME-SEB-SEP; (der.) fotografía de Heriberto Rodríguez/SEP-Coordinación General de Educación Intercultural y Bilingüe; **p. 99**: (arr.) fotografía de Paola Stephens Díaz/Archivo iconográfico DGME-SEB-SEP; (centro) bomberos, Baja California, fotografía de Bob Schalkwijk/Archivo iconográfico DGME-SEB-SEP; (ab. izq.) fotografía de Heriberto Rodríguez/SEP-Coordinación General de Educación Intercultural y Bilingüe; (ab. der.) bombero, fotografía de Bob Schalkwijk/Archivo iconográfico DGMESEB-SEP; **p. 100**: niña con periódico mural, fotografía de Juan Antonio García Trejo/Archivo iconográfico DGME-SEB-SEP; **p. 108**: esculturas en patio de la Academia de San Carlos, *ca.* 1920, © 122189, Secretaría de Cultura.INAH.Sinafo.FN.México.

* Secretaría de Cultura-INAH-Méx., reproducción autorizada por el Instituto Nacional de Antropología e Historia.

Formación Cívica y Ética. Tercer grado
se imprimió por encargo
de la Comisión Nacional de Libros de Texto Gratuitos,
en los talleres de Offset Multicolor, S.A. de C.V.,
con domicilio en Calzada de la Viga No. 1332,
Col. El Triunfo, C.P. 09430, Ciudad de México,
en el mes de noviembre de 2017.
El tiraje fue de 2'564,000 ejemplares.

¿Qué opinas de tu libro?

Tu opinión es importante para que podamos mejorar este libro de *Formación Cívica y Ética. Tercer grado*. Marca con una (✓) el espacio de la respuesta que mejor exprese lo que piensas.
Puedes escanear tus respuestas y enviarlas al correo electrónico <librosdetexto@sep.gob.mx>.

1. ¿Recibiste tu libro el primer día de clases?

   ☐ Sí   ☐ No

2. ¿Te gustó tu libro?

   ☐ Mucho   ☐ Regular   ☐ Poco

3. ¿Te gustaron las imágenes?

   ☐ Mucho   ☐ Regular   ☐ Poco

4. Las imágenes, ¿te ayudaron a entender las actividades?

   ☐ Mucho   ☐ Regular   ☐ Poco

5. Las instrucciones de las actividades, ¿fueron claras?

   ☐ Siempre   ☐ Casi siempre   ☐ Algunas veces

6. Además de los libros de texto que son tuyos, ¿hay otros libros en tu aula?

   ☐ Sí   ☐ No

7. ¿Tienes en tu casa libros que no sean los de texto gratuito?

   ☐ Sí   ☐ No

8. ¿Acostumbras leer los *Libros de Texto Gratuitos* con los adultos de tu casa?

   ☐ Sí   ☐ No

9. ¿Consultas los Libros del Rincón de la biblioteca de tu escuela?

   ☐ Sí   ☐ No

   ¿Por qué?: _____
   _____

10. Si tienes alguna sugerencia para mejorar este libro, o sobre los materiales educativos, escríbela aquí.

    _____
    _____
    _____
    _____

¡Gracias por tu participación!

SEP
SECRETARÍA DE
EDUCACIÓN PÚBLICA

Dirección General Adjunta de Materiales Educativos
Reforma 122, séptimo piso, col. Juárez,
delegación Cuauhtémoc, C. P. 06600,
Ciudad de México

- -
Doblar aquí

Datos generales

Entidad: _____

Escuela: _____

Turno: Matutino ☐ Vespertino ☐ Escuela de tiempo completo ☐

Nombre del alumno: _____

Domicilio del alumno: _____

Grado: _____

- -
Doblar aquí

¿Quieres decirnos algo más? Escríbelo aquí.

_____

_____

_____

_____

_____

_____

_____